HAPAX 14　気象

HAPAX 14　気象＊目次

念仏とは〈風-になること〉である

——なぜ、他力=浄土の哲学なのか

守中高明インタビュー

聞き手=HAPAX

Chanting Prayer is Becoming Wind: Why the Philosophy of Other Power and Pure Land?
Takaaki MORINAKA
Interviewed by HAPAX

存在の有責性

——守中さんは『他力の哲学——赦(ゆる)し・ほどこし・往生』(河出書房新社、二〇一九年)につづき、その続編と言うより新たな思考の展開といっていい『浄土の哲学——念仏・衆生・大慈悲心』(河出書房新社、二〇二一年)を刊行されます。『他力の哲学』は宗教を主題にした哲学である以上に恐るべき革命論であるとわれわれは考え、『HAPAX 12——香港、ファシズム』(二〇一九年)にもその刊行直後に論考(「アナーキー原理としての「他力」」)をご寄稿いただきました。

今回、詩人であり、ジャック・デリダを多く訳されてきた守中さんがなぜ『他力の哲学』を書き、『浄土の哲学』を書くにいたったか、またその核心である「未来完了」についてうかがいたく思います。

私は外側から見ると、きわめて胡散臭い人間ですよね。まず詩を書くことから出発し、同時に日本の現代詩を論ずることからパブリックな活動を始めましたが、他方、学生時代に自分なりに培った素地は、フランス近現代文学であり、それを論ずる際の必須の武器としてのフランス現代哲学です。とりわけデリダとドゥルーズ、そしてフーコーが私にとっては重要で、かつその三者を受容する前提としてモーリス・ブランショの存在がきわめて大きかった。しかしもう一方には、浄土宗の寺に生まれ育ったという出自と来歴があります。僧侶になるための修行も学生時代にはすでに終えていて、二十四歳からは正式な僧として活動も続けてきました。

ですから、よく言えば多面的、悪く言えばつかみどころがないのが私のアイデンティティなのですが、自分としては一貫性があり、すべてを結ぶ核みたいなものがあると考えています。しかし、それではいったいなにが一貫しているのか、その核はなにかということをあらためて説明しようとすると、ものすごくむずかしい。やや大仰な言い方になりますが、そこにはひとつの存在感情といいますか、強い拘束性をもつひとつの存在機制がある、あるいは存在機制が「あった」と今や過去形で言えるか否か——いずれにせよ、その存在機制を言語化するのは初めてのことで、かなり勇気がいるのですが、複雑に絡み合ったその存在感情、その存在の拘束性を、この機会にあえて二つの角度からお話ししてみたいと思います。

第一に、存在の有責性という問いがあります。つまり、みずからの存在がギルティである、あるいはみずからの存在が非合法でしかありえないという抜きがたい感覚があるのです。そして第二に、存在の時間錯誤性という問いがあります。すなわち、みずからの存在が現在とつねに不調和をきたしている、あるいは〈今〉という時間と適合した「生き生きした現在」という感覚をもてない、つまり〈いま‐ここ〉から、わずかだけれども決定的なずれがあって、〈いま‐ここ〉からつねにすでに追放されているという感覚が私の中にあるのです。そして、まさにこの二重の負の存在感情から解放されるプロセスで生まれてきたのが『他力の哲学』であり、『浄土の哲学』なのです。そのことをなんとかうまく語りたいというのが今日、この場に臨んでの私の率直な心境です。

その存在感情がどこから来ているのか。そのことを多少とも理解していただけるような仕方で説明するためには、やはり自分の来歴を語る必要があります。とりわけ父からなにを受け取って育ったかを語らねばなりません。六十を過ぎた初老の男から「父の思い出」みたいな陳腐な話は聞きたくないと思われるでしょうけれど、これは私の世代までがぎりぎり経験した戦後日本人の意識構造に関わる話で、いわばある世代の証言でありその意味で一定の普遍性をもっていると同時に、やや例外的な個人のケース、一種の症例分析としても聞いていただければと思います。

私の父は一九一三年の生まれです。私が生まれたのが一九六〇年ですから、私は父が四十七歳のときの子、いわゆる

「遅い子」だったのですね。父は、その世代の多くの日本人男性と同じく戦争体験があります。ただその体験をお話しする前に、父が戦地へ駆り出される前提となったこともお話ししておかなければなりません。

私の父は旧制浦和高校から旧東京帝国大学へ進みました。専攻したのは言語学でした。東京帝大の言語学科での学びがどうであったかは、なぜかまったく聞いたことがないのですが、父の遺品の中に、卒業論文の原本がありました。空襲による焼失も免れたわけですからよほど大事に保管してあったのでしょう。四百字詰め原稿用紙で三百一枚のその論文は「国語時制考」というタイトルで、表紙をめくると最初のページに審査員氏名として、主査に「小倉教授、閲了年月日：昭和十年二月二日」、副査の欄に「金田一助教授、閲了年月日：昭和十年三月十五日」という署名があります。

小倉教授というのは、小倉進平のことでして、彼は近代言語学による朝鮮語研究の第一人者で、年譜を見ると、一九三三年から四五年まで、言語学科主任教授という記載がありますす。副査の金田一助教授というのは、金田一京助です。彼はご存じのとおり、戦後も長く生きて広く活躍した人で、国語辞典の編纂でも知られていますね。年譜を見ると、一九二八年・東京帝国大学助教授、一九四一年・同教授とあり、当時はもっぱらアイヌ語研究で著名だったようです。ここで留意しなければいけないのは、この時代における言語学、とりわけ国語学という分野がもっていた歴史的な意味と政治的な意味です。

小倉進平という人は東京帝大に着任する前は京城帝国大学教授でした。京城というのは現在のソウルで、その帝国大学とは、日本による植民地支配の行政機関である朝鮮総督府の管轄下にあった大学、すなわち、植民地主義帝国日本の朝鮮半島におけるアカデミズムの牙城だったわけです。しかもこの当時、京城帝国大学の言語学科は、いったいなにをしていたか。かの時枝誠記（もとき）が主任教授で、彼は近代国語学を練りあげた人として名高いわけですが、その目的はまさしく朝鮮半島における皇民化政策の手段としての日本語教育、いわゆる「国語常用政策」を推進することに焦点化されていました。したがって、いわゆる「内地」の帝大における小倉進平による朝鮮語研究も、この政策と強く連動していたわけで、他方、金田一京助によるアイヌ語研究も、アイヌ民族の「国民化」

による同化・統合という近代日本の植民地政策とはっきりと結びついていたことは明らかです。

この二人の指導のもとで卒論を書くにいたった父が、こうした時代状況にまったく無自覚であったとは考えにくい。卒論の内容が決して水準の低いものではなく、また同窓生にも優秀な人材が少なからずいて活発な議論や研究をしたと想像されるにもかかわらず、父が大学での経験をほとんど語らなかったのは、この当時、「国語学」を専攻することがなにを意味するかということを父がはっきり自覚していて、いわば植民地の宗主国の政治に加担したことを罪の意識とともに記憶し続けていたからではないか——そう私は考えるにいたりました。

父の知的経験をこんなふうに学問の政治の問題として捉えることができるようになったのは、ようやく私が四十代になってからです。関連するちょっとしたエピソードですが、二〇〇二年にある座談会で「在日」朝鮮人一世の詩人・金時鐘さんとご一緒したときの印象はいまも鮮烈です。私はその頃、デリダの『たった一つの、私のものではない言葉——他者の単一言語使用』（岩波書店、二〇〇一年）を翻訳したばかりだったので、努めて理論的な立ち位置を保とうとしたんですが、金時鐘さんというまさに植民地支配下で「皇国臣民化」され、かつ、かつての宗主国・日本に移り住んで敵の言語たる日本語で表現を続けてきた強靭な精神を前にして、加害者の第二世代としては、鋭い匕首（あいくち）を突きつけられているような感覚でした。時鐘さんは、鷲や鷹みたいな猛禽類を思わせる精悍な面立ちで、あのような相貌の男性は現代の日本にはほんとうにいなくなりましたね。

それで、話を戻しますと、しかし、父の罪の意識が決定的になるのは戦地での経験があってのことだと想像されます。帝大卒という、そこそこの思考力と語学力を見込まれてのことでしょうが、父は第二次世界大戦開戦と同時に陸軍の兵站（ロジスティック）担当の主計伍長として招集され、東南アジア各地を転戦したすえ、最後はラバウルで敗戦を迎えました。かろうじて生き残ったわけですが、日本へ戻ることができたのは、翌年一九四六年になってからのことでした。戦地での経験も、父はほとんど語ることはありませんでした。陸軍のヒエラルキーのもとで暴力やいじめが横行していた中で、父は僧侶だったということから、一定の厚遇を受けて、戦死者が出るとお弔いを頼まれ、帰りには貴重品だったお酒を持たされて部隊にかえって仲間と分けあったという話とか、あるいは軍隊の中で歌われていた俗謡を歌ってみせるとか、父が語ったのは、そんな当たり障りのない話、ときには笑い話にできるような話だけです。父が言うには、兵站担当だったので、前線で殺し合うような経験は幸いにせずに済んだとのことでした。しかし、父のそうしたふるまいが経験の完全な隠蔽であったこと、おそらく子どもに戦地の現実を聞かせて恐怖心を与えまいとする親としての配慮であり、かつ自身の中に体験を封印しようとする強い意識があったからだということが、あるとき決定的な仕方で明らかになりました。

　父が死んだのは一九九八年、八十五歳を迎える少し前のことでした。大腸癌の手術をしていったんは治療が成功して自宅へ戻ったのですが、しばらくして容体が急変して救急搬送されました。入院してすぐに腸管から大量出血していたことがわかりました。私はその頃、寺から離れて暮らしていたのですが、報せを受けて病院へ駆けつけると、父はちょうどストレッチャーで集中治療室へ運ばれるところでした。父はすでに意識レベルが低下して朦朧としていましたが、私が声をかけると、私であるということはかろうじて分かったらしく、その時父は、横たわったまま突然、中空を指さして「高明、あそこに立てこもろう」と、うわごとのように言ったのです。自分がいる場所ももはや分からなくなった状態で、しかし父は自分が命の危機に直面しているということだけは本能的に分かり、その危機の感覚が戦場での記憶と結びつき、幻覚の中で戦地へ戻ったのだと思われます。「あそこに立てこもろう」――これが父から聞くことのできた最後の言葉で、その後数日で父は他界します。

　なにか出来すぎた作り話のように聞こえるかもしれませんが、これが父の死の真実です。つまり、父は生涯にわたって戦場の記憶を生々しく持ち続け、その殺し合いの経験からくるトラウマに無意識を支配されていたわけです。しかも、その記憶を息子に語ることはなかった。言葉にして伝えることは一度もなかった。けれども、そのことは、私が父の経験とその記憶を受け取っていないということをまったく意味しません。

　精神分析家のニコラ・アブラハムとマリア・トロークに『表皮と核』（大西雅一郎・山崎冬太監訳、松籟社、二〇一四年）という著作があります。これは無意識の世代間伝達の問題、すなわち、抑圧された精神の傷が言語化されることのないまま、子どもの世代、あるいはさらに孫の世代へと受け継がれて、あるとき症状となって発現し、あるいは行動化されるという現象を、多数の症例分析をとおして明らかにしたほんとうに驚くべき仕事です。アブラハム&トロークによれば、親がなにかある罪を犯し、しかしそれは明かしてはならない恥として封印され、本人のみならずその配偶者などにおいても、決して語ってはならない「秘密」として隠蔽されることがある。その罪=恥は一種の地下墓所（クリプト）に埋葬されることになり、その経験は決して言語化されることはない。しかし、言語化を禁じられ、意識下に抑圧されたその罪=恥の記憶が、言語化されざるまま、子どもの無意識に伝達される。あるいはさらに子どもの世代においても意識化されず、言語化されることなしに、孫の世代まで継承されることすらある。その結果、子どもや孫は自分の経験したことのない出来事を「自分の罪」としてその無意識に刻印されることになり、子どもや孫はその無意識の「秘密」を生きざるを得なくなる——これがアブラハムとトロークによる「地下墓所」理論であり、その「亡霊」理論、「亡霊」の取り憑き理論です。いわゆる科学的エヴィデンスからはまったく遠いかに見えるこの理論は、しかし、その症例の具体性においてきわめて説得的であり、デリダもその価値を認め、大きな影響を受けています。もう多くを付言する必要はないかと思いますが、私が自分の存在がギルティである、あるいは非合法であると感じることの原因の一端は、ここにあると思われます。

ただしあくまでも一端であって、すべてであるわけではありません。存在の根源、それがどのような力を刻印されているかというのは、ほんとうに謎であって、厄介な問いです。しかしそれでも、私における存在の有責性という感覚を、父からのこの無意識的記憶の伝承がある角度から説明してくれるのではないかと自分では考えています。そして、私がある時期までハイデガーからデリダへという思考の枠組みを最も重要だと考えていたのも、この点と深く結ばれていると思います。

『存在と時間』における現存在の実存論的分析論の重要概念のひとつに「責めある存在（Schuldigsein）」という概念がありますね（第五十八節「呼びかけの了解と責め」）。ハイデガーによれば、「世人＝ひと」という日常性に頽落した状態から、「最も本来的な存在しうること」へと現存在に覚醒を促すべく、「良心」はその「呼び声」によって語りかけてくる。それが「責めあり（schuldig）」という宣告です。ただし、これは道徳的な負い目でも法的な罪でもなく、現存在がみずからの根拠としてみずからの実存以外の根拠をもたない、という否定的事実、現存在がみずからの「最も固有な存在」を「根底から支配する力」をもっているのではないという、否定的事実を指します。つまりこの「ない＝非（Nicht）」こそが現存在の「実存論的意味」を構成しているのであり、この「非力さ＝非-性（Nichtigkeit）」に徹底的に浸透されている現存在が「責めあり」という「呼び声を了解しつつ、おのれの最も本来的な実存可能性に（おのれを）開きつつ」その呼び声に聴き従うことこそが現存在の「良心」なのであり、その「良心」をもとうと意志するときにのみ、現存在は「責任あるものとして存在することができる」のだ――これがハイデガーの言わんとするところです。つまり、「責めあり」は存在論的機制であって、道徳的・法的概念ではないわけですが、しかし、他方、道徳性と無関係ではないということもまたハイデガーは明確化しています。「この本質上の責めある存在は、道徳性一般とその現事実的に可能な諸形態にとっての可能性の実存論的条件でもある」と。いわば道徳的・法的な悪や罪は、この前-起源的な審級としての「責め（Schuld）」から派生してくるのだ、というのがハイデガーの考え方です。

私自身における「責めあり」という「良心」の「呼び声」とは、ハイデガー、そしてアブラハム&トロークにしたがって自己分析してみると、現存在に普遍的な前-起源的な存在論的機制であると同時に、その機制のうえに個人史からくる別の意味で前-起源的な精神分析的機制が重なり合った、そんなある特有の負荷を帯びた「呼び声」であると言えそうです。実際、私はある時期までこのような「呼び声」に衝き動かされ、ひたすらそれに応答しようとしてきました。「従軍慰安婦」問題を潜在的主題とした長篇詩『シスター・アンティゴネーの暦のない墓』（思潮社、二〇〇一年）がとりわけそうですし、また、私の文学と哲学における特権的な参照項がカフカであり、前期ハイデガーであり、そしてデリダであったというのも、この点に関わっているかと思います。省略的に言ってしまえば、この三人はいずれも、人間における存在論的機制をある種の「法」ないし「掟」とみなし、その拘束性、存在を拘束してくるその力を重視し、それと向き合い続けた作家であり哲学者で、存在の拘束性の強度を積極的に高めつつ分析すること、その存在論的拘束性を最大の強度において描き出すという方向性において、作品を書き、哲学的な概念形成をし、あるいはそのような仕方で哲学的体系を脱構築することに言語と思考を賭けた人たちだと私は考えています。

「赦し」の経験・時間錯誤の価値転換

ところが、私のそのようないわば存在論的な構えに転機が訪れました。それが「赦し」の経験です。『他力の哲学』という私にとっての大きな転回――「ケーレ」というと大げさですが――、浄土の教えでいえばまさに「廻心」です。

その転回＝「廻心」が起きたのは、「赦し」というまったく別種の存在感情をあるとき私が現実に生きたことによります。これはデリダの『赦すこと――赦し得ぬものと時効にかかり得ぬもの』（未來社、二〇一五年）を翻訳して刊行した際の「あとがき」にも書いたことですが、二〇一三年の早春、私は大学から帰宅する途中、自宅まであと数十メートルという路地を歩いているときに、突然、「私は赦されている！」という感覚に打たれる経験をしました。まったく思いもかけぬ、予想もしない、予想しようもない感覚で、純粋で完全な、文字どおり全身を貫き、浸すような感情でした。ほんとうにあれこそ純粋な強度の経験と言うべき経験で、その時はなぜこんな感情に浸されるのか、まったく理解すべくもありませんでしたし、「あとがき」の中でも「分析はすまいと思う」と書いたように、この感情を論理化できるとは思っていませんでした。しかし、『他力の哲学』を書き終え、『浄土の哲学』へと歩みを進めることができたので、この機会に多少とも分析的に考えてみたいと思います。

まず、背景となる要因として、その頃、浄土宗の僧侶という社会的立場から離れて自由になれる可能性が近づいていたということがあります。当時私は、寺の住職を辞めてその地位を譲るべく弟子を一人育てていました。その弟子が、その年の夏に三回目の修行を大本山で行ない、その年の暮れに最後の「加行（けぎょう）」というかなり厳しい行を同じく大本山で修めれば正式に僧侶の資格を得ることができるという見通しが立っていたのです。

現代の日本社会において、僧侶であるということはさまざまな矛盾や葛藤、時として深い欺瞞や偽善を生きなければならないということを意味します。たとえば、資本主義経済の中で生きなければならない以上、宗教上の行ないも、それをいかに取り繕ってみても、結局は賃労働と同じだと見なされることを避けられませんし、他方、日本中世に生まれた教義は、そのままでは現代においてはたんなる神話的価値しかもたないことを知りつつも、宗派の制度の中では、その教義を伝統という美名のもとに墨守しなければならない、などなど、僧侶であることは日々そんな葛藤の連続そのものです。私は寺で生まれ育ち、先ほど語ったような父からの特有の「呼び声」を受け取った以上、大学教員と寺の住職をなんとか両立させていくほかないと思って、二重生活を続けてきたわけですが、その頃にはもう限界だと感じて、世間的身分としての僧侶を辞める決心をしていたのです。

そして事実、翌年二〇一四年一月にはいったん住職を正式に退き、大学での研究と教育に専念することになります。しかしその後、残念なことに、その弟子が健康上の理由で住職を続けられなくなって、二〇一七年七月には私がまた復帰することになり、現在にいたるわけですがその詳細は省きます。とにかく、その時は宗派の固定したドグマティックな制度からいったんは解放されて、矛盾や欺瞞から自由になれるという期待があり、制度の外で、浄土教や自分の〈信〉を検証することができるはずだという展望が拓けていたのです。

しかしそうは言っても、これは依然として外形的な要因で、「私は赦されている!」というあの力の一撃は、やはりもっと本質的な別のところからやって来たと考えられます。あのとき起きたのは、ひと言でいえば、「時間錯誤の価値転換」だったと概念化することができるように思います。さきほど、私は自分が現在と不調和であって「生き生きした現在」という充溢からつねに追放されているとお話ししました。この感覚はいったいなにに起因するか。一義的な原因がなにであるかは、これは今でも明確には認識できていませんし、単一のなにかに原因を帰すことはできないでしょうけれど、一方では、戦争のトラウマ的記憶と罪の意識を継承したことによって、たえず過去から支配の力をこうむっていて、そのために現在を現在として純粋に享受できない、ということがあったと言えるかと思います。ただそれだけではなくて、むしろ、この感覚には存在論的根拠があるとかつての私は考えていました。それはまさにデリダがハイデガーの存在論的差異を前提として、フッサールの時間論を批判的に分析しつつ暴いた「生き生きした現在」なるものの虚構性、つまり〈今〉の純粋性と充溢が錯覚であるという認識です。デリダやフッサールの厳密な術語から離れてごく乱暴に言えば、時間について一般的に信憑されている考え、すなわち〈今〉というのがひとつの統一体であり、それ自体として単一であるその〈今〉は、点として表象可能で、その点の連続が過去-現在-未来へと続く時間であるという一般的信憑がフィクションであるという認識です。そうではなくて〈今〉というのは実のところ、それ自体として分割されており、いわばつねに裂け目としてあり、その裂開には過去と未来がなだれ込み、渦を巻いていて、そのような前-起源的な運動の場面こそが時間のリアルなのだ、というのがデリダの考え方で、その前-起源的な運動が「差延」と呼ばれたり「痕跡」と呼ばれたり、あるいは「アルシ・エクリチュール」と呼ばれたりするわけですよね。これは先に述べた私の時間感覚、時間についての身体的感覚を見事に説明してくれる概念で、この思考に出会ったとき、私は端的に「これだ！」と思ったのです。ただし、このような理解は、デリダの『声と現象』や『グラマトロジーについて』に出会う前に、ブランショの『文学空間』と『来（きた）るべき書物』を集中して読んだときに、すでに得ていた理解でもあり、そのとき私は自分のある特異な存在感情が、哲学的にも理解され得るものだということを発見して、静かな熱狂を感じたのを今もはっきり覚えています。二十一歳、大学三年から四年に進む春休みのことでした。

ところが——ここからが肝心なのですが——、〈今〉との不調和という感覚に存在論的根拠があるとしても、「生き生きした現在」からの追放という表現が暗示しているように、この感覚は悲劇的であることを絶対に免れないというのが当時の私の考え方でした。デリダは「差延」ないし「痕跡」ないし「アルシ・エクリチュール」の場面を記述するとき、それが通常の現前性の場面には還元されない、ということから特有の時制を使います。それが未来完了です。フランス語文法で言う「前未来」ですね。

この未来完了、「前未来」という時制は、「それは-あった-ということに-なるだろう」という構造を指し示しており、つまり、ここには「現在」が欠けているわけです。これは、より具体的にはマラルメの『骰子（とうし）一擲（いってき）』という散乱する詩句の群れからなる作品の中の謎めいた一句、「なにも場を持たなかったということになるだろう、場を除いては」から採られているわけですが、これはまさに「場」の現在からの追放であり、かつ「場」から現在を追放する時間構造であるわけです。しかし、そこで問われるべきなのは、この捻れた時間構造は、はたして悲劇的であるほかないのかということです。この時間構造に投げ込まれた人間、この時間構造を生きる人間は、〈今〉の充溢を欠いた負の存在、〈今〉という充溢から追放された犠牲的存在であるほかないのか、という問いです。

いや、そうではない――そう私は、ようやく考えられるようになったのです。この特異な時間構造はまったく両義的であって、肯定的にはたらくこともできるし、否定的な結果を生むこともある。そして「赦し」とは、まさにこの時間構造がそのまったき肯定性において作動したときに得られる経験である、というのが現在の私の考え方です。事実、二〇一三年の早春に力の一撃に打たれた私の中に響き渡ったのは、つぎのようなフレーズでした――「私は‐明日‐生まれました」。これもいっさい偽りのない証言です。

これはつまり、誕生という一回きりの出来事、一般にはある人の起源だとみなされる一回性の出来事を、これから到来する過去という謎へと、あるいはいまだ完了せざる時刻へと開く、そんな反復可能性の論理です。さらに付言させていただけば、この早春の私の経験には、一定の事実の裏づけがあります。私は三月一日生まれなのですが、その誕生日を控えた二月下旬に帰宅の途中で歩いていた路地は、私が生まれたときからある路地で、しかも真西から真東へと向かうその路地には、幼い頃、母に背負われて行き来した記憶がはっきりとあります。そしてあのとき、私は沈丁花の香りを吸い込みながら歩いていました。まったくのファンタスムだと言われればそれまでですが、その香りはおそらく生まれる直前に母の胎内で私もまた触れていた香りなのではないか。実際、沈丁花の香りというのは、こういう場所だからこそ告白できることなのですが、私がこの世界でいちばん好きな香り、他に比べるもののない最も愛する香りで、その香りに触れると、無条件に幸福な感情が湧きあがってきます。

こうしたことすべてを総合して考えると、〈今〉という時間との不調和、〈今‐ここ〉の充溢から、わずかではあるけれど、つねにすでに決定的に追放されているという存在感情、その時間錯誤の感覚が、負の悲劇的なる経験から、幸福なまったき肯定性の経験へと価値転換したのが、私における「赦し」の経験であり、その概念の確立だったと言えるのではないか、と今あらためて考えています。つまり、存在を前‐起源的に拘束する「罪」の掟から「生成の無垢」を回復することができた――そう要約することができるでしょうか。

　そして、そこから出発してこそ『他力の哲学』、そして『浄土の哲学』の思考が初めて可能になったと思われます。主たる哲学的準拠対象がデリダからドゥルーズへ変わったことは歴然たる事実ですが、その転回がたんに「脱構築」から「生成変化」の論理へというような一般化可能な性質のものではなく、有責性と負の強度をはらんだ時間錯誤において人を拘束する存在論的な掟から、赦しへの転回、いわば終わりなき反復へと開く別種の時間錯誤における存在論的な肯定する力への転回が、私という一個の単独者において起きた――この経験を、今日は当事者として証言しておきたいと思います。この証言が、一個の特異なケースであると同時に、普遍的な意味をもつ経験として、デリダやドゥルーズをめぐって思考する人たちにとって少しでも役に立てばよいと考えて、思い切ってお話ししました。

未来完了の論理

――未来完了という主題は『他力の哲学』で論じられていましたが、『浄土の哲学』では一遍の「南無阿弥陀仏が往生する」という驚くべき一節とともに、この本の「転回」の核心に位置するように思われます。

「赦し」の経験をへて、主たる哲学的準拠枠がデリダからドゥルーズへと変わったことは事実ですが、そのいわば蝶番の位置に未来完了の論理があること、いっそう具体的には「決定不可能命題」があることは、『他力の哲学』と『浄土の哲学』を書き終えてみて、著者自身としても振り返って検討すべき問いだと感じています。

　開かれた未来完了の論理とは、『他力の哲学』ですでに書き、『浄土の哲学』でもあらためて強調しているように、阿弥陀仏の「本願」の時間構造にほかなりません。
「南無阿弥陀仏」とは「帰依‐無限者に」を意味する一句であるわけですが、その念仏行者が称える行為遂行的言表における「無限」とは、念仏行者を〈いまだ〉と〈すでに〉のあいだに宙吊りにするという意味での「無限」です。『無量寿経』における法蔵菩薩の四十八の誓願はすべて「たとえ私が仏になることができたとしても、……ならば、私は正しい悟りを得た仏にはなるまい」という構造をしています。そして法然は、法蔵菩薩が長い修行の末に仏となり、「今現に世にましまして」いること、つまり、その誓願が実現していることを善導大師とともにあらためて読み取り、そこにこそ念仏行者の往生が「決定(けつじょう)」している根拠を見て取ったのでした。すなわち、法蔵菩薩は〈いまだ〉仏となっていないが、その誓願は実現し、成仏して阿弥陀仏として〈すでに〉そこにいる。この「本願」の不思議を信ぜよ――これが法然の主張なわけですね。この論理が単なる神話的説話の論理ではなく、現在を生きる私たちにとっても意味をもつのは、法蔵菩薩（つまり阿弥陀仏へと生成する存在）の「正覚」がそのような構造をしているとすれば、「本願」を信じ、その誓いを称名念仏によって反復するとき、衆生はある根源的な時間の変容を引き受けることになるからです。阿弥陀仏という無限者を無限たらしめている「正覚」は、決して閉じることのない未来完了であり、それは繰り返せば、衆生を〈いまだ〉と〈すでに〉のどちらにも決定不可能な時刻に投げ込む、そんな力の場であるわけです。すなわち、「南無阿弥陀仏」とは「決定不可能命題」である、というのが『浄土の哲学』において打ち出すことができた私の主張です。

ご存じのとおり、ゲーデルの数学基礎論におけるこの枢要な概念を、哲学と文学の問いとして最初にあらためて導入したのはデリダです。デリダは『散種』（藤本一勇・立花史・郷原佳以訳、法政大学出版局、二〇一三年）におさめられたマラルメ論「二重の会」の中で、マラルメの「黙劇(ミミック)」という特異な作品に「イメーヌ（hymen）」という「処女膜」と同時に「婚姻」を意味する語が「程度の差はあれ体系的に操作された、決定不可能性をそなえた同一の統辞法的資源」とともに現れることに注目し、「黙劇」という「虚構の、純粋な、場」が「現在という偽りの外見のもと」（マラルメ）に再現＝表象なしに上演されるべく企図された徹頭徹尾パラドクシカルな作品であることを分析しています。デリダははっきりゲーデルの名前をあげながら次のように書いています。

> 決定不可能命題とは、多様体を支配する諸公理からなる一つの体系(システム)が与えられたとき、その諸公理の分析的あるいは帰納的帰結でもなければ、その諸公理と矛盾もせず、それらの公理の数々に照らして真でも偽でもない、そんな一つの命題である。(『散種』三四八‐三四九頁。訳文変更)

デリダは、この援用があくまでも「類比(アナロジー)」によるものだという留保をつけていて、いたって慎重な姿勢なのですが、しかし、やがてたとえばアメリカ合衆国のイエール学派などにおいて、解釈が拡大していきます。どんなに整合性をもつかに見えるシステムも必ずその内部に真であるとも偽であるとも決定できない要素をもち、それこそがシステムを自壊へと導くポイントなのだ、という議論へと広く一般化されていくわけですね。デリダがそのような拡大解釈にどこまで同意するかは分かりませんが、しかしそれでもデリダにおける「決定不可能命題」が、なにか意味や価値さらには効果が〈決定不可能であること〉という場面に焦点化したものであることは否めないでしょう。

　ところが、ドゥルーズ&ガタリは『千のプラトー——資本主義と分裂症』(上中下巻、宇野邦一監訳、河出文庫、二〇一〇年)の中でこの「決定不可能命題」を取りあげて、つぎのように書いています。

> われわれが「決定不可能命題」と呼んでいるもの、それはあらゆるシステムに必然的に属する諸帰結の不確実性ではない。反対にそれは、システムが結合するものと、それ自体連結可能な逃走線の数々にしたがって絶えずシステムから逃れ去っていくものとの共存あるいは分離不可能性のことなのである。決定不可能なるものは、すぐれてさまざまな革命的決定の胚=萌芽であり、場であるのだ。〔…〕これら決定不可能命題の数々すべてを横断して生み出されるのでないような闘争は存在せず、公理系のさまざまな結合に抗って革命的連結の数々を構築しないような闘争は存在しない。
>
> (『千のプラトー 下』二四四‐二四五頁。訳文変更)

この一節は、ドゥルーズ&ガタリがデリダへ最も明示的に応答した箇所として注目に値します。そして私にとっては、称名念仏の意味と効果を最大化してくれる参照項となりました。つまり、『他力の哲学』の段階では、称名念仏の効果が衆生を開かれた未来完了へ投げ込むことにあり、したがって衆生にその無限の可能性の地平を拓いてくれることにある、と記述するにとどめていました。しかし『浄土の哲学』においてドゥルーズ&ガタリへの傾斜を強めた結果、称名念仏がそなえている未来完了という時間構造、すなわち〈いまだ〉と〈すでに〉のあいだに宙づりになり現在を欠いていることが、まったき肯定性において「革命的決定の萌芽」であり「場」であるということを、留保なく断言することができるようになりました。

反省的に捉え返してみると、デリダを参照しているときにはなお私の中に残っていた否定神学的な要素が一掃され、念仏の意志、念仏の力能を最大化することができたと言えるのではないかと考えています。

――未来完了は実践において、この歴史と政治にどのように向き合うことになるのでしょう。

未来完了という時間構造は肯定的に作動することもあれば、否定的に作動することもあります。肯定的に作動した場合、たとえば歴史認識において戦後世代、それも第二世代から現在の若者世代にいたるまでがきちんと問題を引き受けて、責任ある応答をしつつ、反動的で復古的な政治が回帰してくることを抑止しながら、能動的な来たるべき時代と社会を構築することへと結びつく。その可能性に向けて、少なくとも私たちはみずからを賭けることができるのではないでしょうか。

しかし、否定的に作動した場合にはまったく逆の事態が起きます。たとえば『日本国憲法』第一条が隠しもっている事後性の未来完了という構造がその実例です。第一条の文言は、ご存じのとおり「天皇は、日本国の象徴であり日本国民統合の象徴であつて、この地位は、主権の存する日本国民の総意に基く」というものです。ところが、ここで言う「日本国民の総意」なるものは、かつていかなる仕方でも、誰によっても確かめられたことのない「総意」であって、それは、この一文が遂行的に発生させるフィクションです。すなわち、ここに潜んでいるのは「総意が-あった-ということに-なるだろう」という捩れた論理であり、その結果、フィクションとしてのその「総意」にもとづいて「日本国民」はそれ以後、天皇をみずからの象徴としてつねに遂行的に承認し続けなければならなくなる。その身ぶりを引き受けることが日本において「国民」であることの要件になってしまっているわけです。これは反動的な未来完了の典型で、同じことは宮澤俊義の「八月革命説」についても言えます。宮澤は、天皇主権から国民主権への「変革」は「日本政府」によっても「天皇の意志をもってしても、合法的にはなしえないはず」だったが、敗戦という「事実の力」が「ひとつの革命」を起こしたから実現したと言うわけですよね。ここにあるのもまた、事後性の未来完了のロジックにほかならないのではないでしょうか。実際には、一九四五年八月十五日の時点では、主権者たる日本国民と呼べる存在などどこにもいなかったのは自明です。たとえば「一億総懺悔」というスローガンがありますが、あれは今日広く誤解されているような、戦争責任について被害諸国とその犠牲者たちに向けて日本国民が謝罪すべきだというスローガンではありません。そうではなく、「敗戦をまねいた責任について、天皇に対して謝罪せよ」という命令であったわけで、まさに「八・一五」を過ぎてもなお日本人を「皇国臣民」化しようとする政治が継続していたのです。そのようなまったく逆の「事実」を、事後性の未来完了は隠蔽してしまい、その結果、戦争責任・戦後責任についても、それを負うべき主体が曖昧になるということが言えるのではないでしょうか。

阿弥陀仏・往生・浄土

——別の視点からうかがいたいのですが、なぜ、なお僧侶であり続けるのでしょうか。ただ西洋哲学の伝統に依拠し続けるのではなく、浄土教の言葉へと転回を遂げられたことは非常に意義深く思われるのですが、一方でそれは、組織宗教に与する「宗教家の説教」とみなされはしないでしょうか。

『他力の哲学』では、それまで私が書いてきたものとは組み立て方も文体も大きく変えました。意識的にとにかく敷居を下げ、門戸をできるだけ広げて、普段は人文書なんか全然読まない人たちにもアクセスしてもらいたいという意図があったからです。そのうえで、「宗教家の説教」として受け取られないようにするにはどうしたらいいかということを私なりに考えました。つまり、宗教家としての姿勢を明示したところ、幸いそれに反応した方たちがかなりいたのですが、その方たちが実際に読んでみると現代哲学の枠組みが待っていた、というのがあの本の仕掛けだったわけです。しかし『浄土の哲学』では、ハードルを下げていい意味でのその種の「演出」をするということはしていません。ドゥルーズを援用することについても、抑制的ではまったくなくなりました。必要不可欠と思われたら、厳密に取捨選択したうえでですが、かなり高度な哲学的概念も援用しています。それはスピノザに関しても同様ですし、ライプニッツに関しても同様です。

しかし、それにしても、自分の思考に反し、自分を裏切らざるを得ないような現実がある中で、なおそこにとどまり続けることの実践的意味合いをどう説明するのかということですね。これについては『他力の哲学』の段階から、浄土教の脱神話化ということを、つねに考えてきました。

現代の浄土宗は、きわめて重要な仏教概念を、あくまでも神話体系を構成する一般概念にとどめ、その一般概念を基盤として宗派の制度を維持するということを続けています。

たとえば、阿弥陀仏とは何か。浄土宗の教義において、それは端的に超越的〈一者〉です。西方十万億土の彼方に阿弥陀仏という偉大な方がいて、その方が大いなる慈悲の心で私たちを迎え、救い摂ってくださる。ただし、これは死後のことであり、そのときのために念仏を毎日称えましょう――これが宗派の公的な物語です。あるいは往生とは何か。これは、死後の出来事であり、死の瞬間には阿弥陀仏が来迎（らいごう）し引接（いんじょう）して極楽浄土に導いてくださり、衆生は浄土に往き生まれることができる。だから、安心して心穏やかに日々を過ごしましょう、と宗内では語られます。そして、その浄土とはいったいどんな場所か。これは、私たちの現実とはきっぱり離れた超越的な領域であり、彼岸の世界です。したがって、念仏というのは、その彼岸へ向けてのみずからの超越を求める祈りだというのが、浄土宗の公的な教えです。阿弥陀仏・往生・浄土という決定的に重要なこの三つの概念を、日本中世の神話体系における一般概念のままにしておき、その神話的物語を基盤として制度を安定的に維持しようというのが、現在の浄土宗なのですね。

それに対して徹底的に異議申し立てをしようとしたのが『他力の哲学』であり、『浄土の哲学』です。日本中世に形成された教えは、その概念の「名」だけを継承したのでは無力であり、無価値であることは言うまでもありません。日本中世においては「六道輪廻」という世界観が支配的であり、「地獄・餓鬼・畜生・阿修羅・人・天」という六つの世界へ次々に「生死」を繰り返し、そこから逃れることができないというオブセッションに囚われていたのが、一般的な衆生でした。「地獄へ堕ちる」ということがリアルな恐怖としてあったわけです。だからこそ、「輪廻の里を離れる」こととしての「往生」が切実に希求されていたのです。しかし、今日の私たちが誰も「六道輪廻」などという世界観に縛られていないことは自明です。だとすれば、それでもなお「阿弥陀仏」の名を称えることを説き、「浄土」への「往生」を説くのであれば、必要なのは神話的物語を反復し、再生産することではない。そうではなく、法然・親鸞・一遍が中世において説いた教えを、その価値と効果において等しい概念によって更新すること、すなわち、日本浄土教を脱神話化しつつ、その枢要な概念を現代において実効性のあるものにすることこそが求められるはずです。

この立場から、阿弥陀仏・往生・浄土という概念をドゥルーズ、ニーチェ、スピノザなどの眼差しから読み換えようとしたのが『浄土の哲学』です。ここで委曲を尽くすことはできませんが、たとえば「阿弥陀仏」とは、親鸞がすでにはっきりと定式化していたように「自然」であり、その「おのづから」「しかしむ」はたらき以外のものではありません。それは、衆生がそこに内在することしかできない生成のプロセスであり、したがって「阿弥陀仏」への〈信〉とは、「自然」のはたらきに内在し、その「ひとのはじめてはからはざる」生成の必然、つまり、人間がことさらに思量する余地のないその「他力」の必然を生きることであると言えます。別の角度から言えば「阿弥陀仏」とは「自然」という形相なき力能の名であり、したがって、それを人称化し、超越的〈一者〉として表象することは、人間中心主義が生んだ妄念にすぎません。そのことが理解されれば、「浄土」が、はるか彼岸に位置する超越的領土ではなく、衆生が称名念仏の声とともに生成変化していく内在性の平面にほかならないということがおのずと明らかになりますし、「往生」もまた死後の出来事ではなく、衆生が念仏を称えるという行為の遂行によって「本願」の時間構造の中にみずからを投げ入れ、その開かれた未来完了という時間構造の中でみずからをそのつど新たに生成させつつ、この穢土そのものを「浄土」へ生成させていくプロセスを指すことが明確化されるはずです。その意味＝方向性において、浄土宗の神話体系を構成する一般概念を解体し、その地盤から掘り崩すことが、今回の私の目的のひとつでした。

――この本の最後では「風になる」というテーゼを出しています。自然の内在の中で、あらゆる構築された「いま」を逃れて、かつて吹いていた風、これから吹くような風になる。文明の死期を生きるわれわれにとって「風」とは何なのでしょう。そしてこれは国家と社会に抗する人民を創出することということでしょうか。

称名念仏が気息＝風であり、したがって、大気への生成変化であり、称名念仏によって〈風‐になること〉ことがまさに自然に内在しつつ決定不可能性の場に出ていくことである、というのが『浄土の哲学』の結論です。純粋に生理学的に言っても、私たちは呼吸をしなければ三分と生きていけないわけですよね。呼吸をとおして、つまり、大気とのガス交換をとおして、酸素を取り入れ二酸化炭素を排出するということを私たちは繰り返しています。その際、体外とのガス交換という外呼吸のみならず、細胞レベルでも血液を通じて酸素を送り込み、二酸化炭素を排出するという内呼吸を行なっている。つまり、念仏という声＝気息は、私たちが細胞レベルからして自然に内在してあるほかないということを、そのつど確認する行ないだと思うんです。念仏が空虚な祈りではないというのは、そういうことも含んでいるわけですね。自然に内在することが「他力」への〈信〉なのだと、今の質問をうかがってあらためて感じます。

そして、国家による捕捉からいかに逃れるか、いかに別の場を開くかというのは、まさにこの本のもうひとつの大きな主題であり、問題設定です。国民国家がその領土内に人民を「国民」化しつつ捕捉し、統計的処理が可能な人口集団とみなし、その安全を保障するという口実のもとに労働資源として管理するというこの現在の統治システムを、とにかく疑い、可能な限りそのシステムに亀裂を入れ、〈外〉への脱出口を見つけて「非国民」としての新たな人民を生成させることを開始し、そして何度でも繰り返すほかありません。

この問題意識と関わるのですが、斎藤幸平の『人新世の「資本論」』（集英社新書、二〇二〇年）を最近、ようやく読みました。読む前は「エコロジー派によるマルクスの部分的再利用だろうから無害だろう」くらいに思っていたのですが、予想に反して、今この状況下でいかにも受けそうな語り口で「コミュニズム」を啓蒙的に解説しつつ、結局は「国家って大事だよね」という最悪の結論を落としどころとする悪質なイデオローグだと感じました。

斎藤幸平は、コモンズを共同で「管理する」という言い方をします。そして同時に、気候変動という大きな事態に対処するためには、国家の力が必要不可欠だから、国家を手放すべきではないと言います。しかし、これはまったく逆です。国民国家こそが地球環境に対する最大の負荷であり、気候変動を起こす最大の要因となっているのが国民国家という巨大な装置であることは論を俟ちません。各国民国家が維持しその内部で運動を続ける資本こそが、環境破壊の最大の要因であるわけですよね。著者は「SDGsはアリバイ作り」にとどまり「大衆のアヘン」にすぎないというメッセージを前面に打ち出していて、その効果もあってナイーヴな良識派の受けがよいのでしょうけれど、「持続可能」な社会を目指すだけでは不十分なのは、もとより言うまでもないことです。ほんとうに地球環境の破壊を止めるつもりならば、資本と国家を同時に揚棄し廃絶することこそが必要不可欠です。

国民国家という制度について、エコロジー派の中にそれを「使い倒す」という考え方があることは理解できますが、しかし、それよりは、その内部にいっそう小さなネットワークの数々、つまり、それぞれが自律的な共同体を多数並列的に立ち上げていって、その共同体ごとにエネルギー資源の分配とか、コモンズの維持ということを考えれば、そして生産と消費をほんとうに必須の量まで最小化すれば、国民国家には決してできない対策、はるかにそれ以上の気候変動対策が可能になるはずです。斎藤幸平はマルクスがプルードンからなにを学んだか、もう一度考え直すべきですね。

後期ハイデガーをめぐって

――社会を断片化するということですね。

ここで別の質問をさせてください。『他力の哲学』の冒頭から、『浄土の哲学』後半のコミューン論に至るまで、一貫して守中さんの仮想敵は『存在と時間』からフライブルク大学学長期にいたるまでのハイデガーであるように思われます。しかし、他方で「転回」を経たハイデガーは、人間＝現存在の主体的な要素を否定し、受動性、あるいは能動性／受動性の彼岸へと向かいました。守中さんご自身は、こうした後期ハイデガーについてはどのようにお考えでしょうか。

後期ハイデガー――というのが具体的にいつから始まる区分なのか分かりませんが――については、その全体像を知るにはほど遠く、したがってなにかを語る能力も資格も私にはありません。しかし、おっしゃるとおり「転回」以後のハイデガーを特徴づけているのが、かつての「現存在」の実存論的分析論における「決意性」や「投企」といった能動性から、たとえば「放下」という概念における「非‐意志」というもはや能動／受動の二項性に還元されない別種の存在論的地平への移行であることは間違いなく、その点で後期ハイデガーのほうが『他力の哲学』や『浄土の哲学』との対立点が少なく、一定の親和性があるようにも思います。後期ハイデガーが投げかけてくるさまざまな問いのうち、私にとってとりわけ関心があるのは「技術」の問いで、『技術への問い』（一九五三年講演、一九五四年刊）で形成された《Ge-stell》という概念、すなわち「集‐立」とも「立て‐組」とも「総かり立て体制」とも訳される概念は、核エネルギーの時代、それも特に東日本大震災において東京電力福島第一原子力発電所の過酷事故というカタストロフィを経験した私たちの同時代にとってきわめて重要だと考えています。これは、もはや人間がその主体であるのではない「技術」の名であり、人間がその中につねにすでに投げ込まれ「徴発」されており、それどころか地球上のすべての現実存在を「用像（Bestand）」＝備蓄＝資源として動員する際限なく拡大していくオープン・システムのことです。しかし、これについて話しだすと必然的に長くなりますので、ここでは『浄土の哲学』の問題設定に深く関わるつぎのひとつの問いについてだけ、お応えしようと思います。

それはハイデガーにおける「本来性」ないし「固有性」という哲学素の問いです。後期ハイデガーの最重要概念に「性起（Ereignis）」という概念がありますね。これがどのような事柄を指すかを明確化するためには、それだけで優に一冊の本が必要でしょうし、十全にそのことを分析・解明した研究がはたしてあるのか否かも私は知りませんが、ごく大まかな把握として、『存在と時間』においては存在はつねに「存在者の存在」であって、存在の真理がそれとして現れるためにこそ「現存在（Dasein）」がその「存在忘却」から目覚めて「瞬間＝瞬視（Augenblick）」において「本来的」な「現（da）」を「開示」することが要請されていたわけですが、後期において「存在忘却」の打破は「現存在」の「瞬間＝瞬視」をすら契機とせず、誰の「決意」も「自覚」もなしに、いわばおのずと起きると言われるようになる。それが「性起」であり、その場面において存在そのものが、つまり存在の真理がそれとして場をもつ、すなわち、存在の出来事として存在が「存在忘却」を打ち破って立ち現れるというわけですね。こんなふうに語ると、それだけですでにハイデガー的なジャーゴンを口写ししているだけになってしまいますが、私が抵抗を感じるのは、存在そのものという謎がたしかにそのようなものであるとしても、それを名指す概念に「本来性＝固有性」という哲学素が埋め込まれている点です。つまり、「性起（Ereignis）」は「本来的な＝固有の（eigen）」、さらには「本来性＝固有性（Eigentumlichkeit）」を内包している概念であり、そうであってみれば、そこに見るべきなのは「転回」というよりもむしろ深化であり、純化なのではないでしょうか。「性起」という存在の真理を名指すいわば究極の概念においてなお、『存在と時間』以来の排他的重要性をそなえた哲学素が刻まれているのはなぜなのか、というのが素人の私がいだく疑問です。こんなことは専門家のあいだでは常識・通念なのかもしれません。しかし、存在そのものの出来（しゅったい）を語るとき、なぜ、なおもそれが本来的なるもの＝固有なるものの出来事として語られねばならないのか。その本来性＝固有性は誰にとっての、なににとっての本来性＝固有性なのか。存在の出来事、あるいは出来事としての存在という場面があるとすれば、その出来事はむしろまったく反対に、非‐本来的＝非‐固有的なる事態、非‐本来化＝非‐固有化ないし脱‐本来化＝脱‐固有化の運動として、つまりは離脱と散逸の運動として語られねばならないのではないか。デリダが、そして別の仕方でドゥルーズが開いて見せたのは、まさにそのような存在の出来事であり、そこにしか現在私たちが考えるべき存在論的哲学の賭札はないのではないでしょうか。おそらく、ハイデガーはドイツ民族の本来性＝固有性、あるいはドイツ国民国家の本来性＝固有性、あるいはもっと広く解釈してもヨーロッパ的思考の本来性＝固有性という考え方を捨てることができなかったのではないでしょうか。だとすれば、そのような思考の本来性＝固有性というオブセッションから存在論を解放し、潜在的にであれ、いかなる本来性＝固有性をも主張しない別種の存在論を創出し展開すべきであり、そのような存在論から出発してこそ、来たるべき人民は生成する——そう、私は考えています。

『祈りの哲学』へ

——このあと、どのような展開をお考えでしょうか。

『祈りの哲学』というタイトルの本を構想しています。サブタイトルは「アナーキー原理」となるでしょう。特にエックハルトからグスタフ・ランダウアー、ハイデガーを経て、ライナー・シュールマンにいたる流れをたどってみたいと考えております。同時に親鸞から大逆事件に連座したと見なされて獄中で自死した高木顕明（けんみょう）という真宗の僧侶にいたる「反-天皇制」の思考、そして対象をキルケゴールにするかヴェイユにするかまだ迷っていますが、近代以降にキリスト教をその実存において生き抜いた人の実践にも向き合ってみたいと考えております。「離脱が神を強いて私に来たらしめる」というエックハルトにおける祈りは「他力」と強く響き合います。日本浄土教をめぐって考えてきた「他力」の思考を、これらの系譜と共振させてみたいと思っています。

（二〇二一年六月三十日収録）

放射能、パンデミック、蜂起

サブ・コーソ
五井健太郎 訳

Radiation, Pandemic, Insurrection
Sabu KOHSO
Translated by Kentaro GOI

破局にかんする書物

『放射能と革命（*Radiation and Revolution*）』は、二〇一一年三月に生じたフクシマ原子力災害に促されてはじまった、一つのプロジェクトである。この災害における破局の圧倒的なあらわれは、日本および世界において原子力というものがもっている存在政治的な地位を、――その論理にとらわれている民衆の生活と、それに対抗する闘争の観点から――調査研究することを余儀なくさせるものだった。破局にかんする同書は、その一つの帰結である。

かつて私は、反原発運動にまったくかかわってこなかった。というのもそれは、それ自体を単一争点（シングル・イシュー）的な展望のもとに制限し、資本主義や国家をめぐる問いを、すなわちエネルギーと戦争にかんする装置群の地球規模における発生源をめぐる問いを、その考慮の外に置く傾向をもつものだったからだ。

だが――地震、津波、そして原子力発電所の爆発という――三つの出来事からなるフクシマの災害は、日本の戦後レジームにおけるインフラ、経済、政治、そして日常生活を、二年間にわたって混乱させることになった。それがもたらした影響の多元性は、原子力装置というものが、地震の多発する列島に位置するこの国の社会といかに深く絡みあってきたのかをあきらかにするものだった。だがあらゆる面で生じていった危機のただなかで民衆たちは、生存のための自律的なプロジェクトの数々を創造し、ヒロシマやナガサキという経験にもかかわらず、アメリカ／日本の支配権力によって自分たちの生活のなかに原子力エネルギーが蔓延することを容認しつづけてきた社会の正当性にたいして、根本的な疑義を投げかけていった。短命に終わったとはいえ、このことは革命的な断絶の契機を示すものだった。しかし復興がナショナリズム的に組織化されていくなかで、現状が回帰していった。放射能汚染がつづき、国家の境界を超えて惑星全体に広がっていく一方で、停止されていた原子炉が次々に再稼働されていった。世界の他の地域ではいまも、大多数の核保有国が武器やエネルギーのために核分裂を利用する力を競いあっている。

こうした壊滅的な後退状況によって私は、原子力エネルギーは地球的な秩序を維持するために暗黙の役割を果たしているのではないかと考えるようになり、原子力という問題とこれまでとは異なる文脈で——つまりいかにしてこの世界を変えるかという観点から——向きあうことを強いられるようになった。すなわち、兵器とエネルギーというヤヌスの顔のようなその機能によって原子力は、資本主義と国家の結びつきを強化し、それらを廃絶しようとする闘争を根本から無能化する理想的な手段と化しているのではないかと考えるようになったわけである。

＊＊＊

二〇一一年という年は、現在の起点である。すなわちそれは、終わりなき災害の時代の起点であるとともに、それがもたらす破局的な状況下で闘われる、支配権力との闘争の時代の起点である。この時期以降、全地球規模で——災害と反乱という——二つの動力が目撃されるようになり、以降われわれは、この二つの相互作用に巻きこまれつづけている。

フクシマの原子力災害を惑星的な文脈に位置づけるためには、次の事実に注目しておく必要がある。すなわちそれは、日本の反体制的勢力が、アラブの春によって賦活されていた時期に介入するようにして生じたものだということだ。この当時、あたかも惑星的地平における情動的な交換の回路のようなものを通っていくかのようにして、チュニジア、リビア、エジプト、イエメン、シリア、そしてバーレーンにおける反乱の数々が、ヨーロッパのさまざまな場所の民衆たちと共鳴しはじめていた（ジョージ・カツィアフィカスはこの現象を、「エロス効果」と呼んでいる）[1]。日本では、放射性物質が降りそそぐ混乱のなか、政治的な意味でも実存的な意味でも、多くの人々がすぐに立ちあがることになったが、その背景にはもっぱら、地球規模で共有された反乱の情熱があったのである。つまり日本の民衆はこのとき、放射性核種の放出と、諸々の反乱の反響という二つのものの相互作用を経験していたのだ。一見したところ両者は無関係なものに見え、対立するものにさえ見えたが、しかしどちらもともに国家の境界線という制限を超えていき、異なる存在論的帯域において地球的秩序を混乱させていった。これ以降さらに激化していくこの相互作用は、政治的存在論の一つの新たな地平を——すなわち総称としての「世界」の裂け目から生じる〈地球〉という地平を——具現化していくことになる。

***

二〇一一年以降の展開におけるもう一つの次元として、進行中の政治的な弾圧や、社会的な排除や、経済的な不平等のただなかにおいて、そしてまた災害や、事故や、公害や、環境破壊による累積的な相乗効果に対応するかたちで、自分たちの生を守るための民衆の実存的闘争が——ポスト・フクシマの日本においてだけでなく、世界のいたるところで——、その領域を断固として拡大していったことが挙げられる。われわれの健康や幸福を守るために、いまや日常的な再生産にかかわるあらゆる側面が、全面的な再組織化を要求しているのである。

二〇二〇年初頭、COVID-19のパンデミックが世界中を席巻した。各国政府が即座にとった対応は、国境の管理をつうじた国家の封鎖だった。だが一方で、そうした封鎖措置にもかかわらず、あるいはそれゆえにこそ、諸々の反乱が生む共鳴は——あたかもその一つ一つが、これまでにも増してたがいに恋に落ちていくようにして——劇的に高まっていった。全世界の民衆が経験していたパンデミックによる孤立と抑鬱を打ち破ったのは、アメリカにおける警察暴力に抗する反乱である。この反乱の共鳴は、都市から都市へと、アメリカ国内中に広がっていっただけでなく、地球的な規模で、香港、チリ、ケニア（ナイロビ）、インドネシア、タイなど、あらゆる大陸の数多くの場所にも広がっていった。日本ではこの反乱によってもたらされたインスピレーションが、人を自閉した状態に縛りつける道徳的な拘束から民衆を解き放ち、ジョージ・フロイドの反乱との連帯のなかで街頭に出ていくことを促した。そこでもっとも重要だったのはおそらく、そうした動きが、警視庁による暴行に抗議するクルド人移民たちの動きと共鳴していたことだろう。

アメリカにおけるこの反乱を衝き動かした力は、一直線に国家の革命に向かうものなどではまったくない。そうではなくそれは――警察と刑事司法システムの廃絶を伴いながら――、帝国とは異質な実在性を実証しつつ、国民国家の解体に向かう傾向を表現するものである。そしてそうした傾向は、次のような点をあきらかにすることになる。すなわちそれは、先住民の土地を侵略し、アフリカ人たちを奴隷化しながら、軍事力によってその覇権を拡大して、移民たちの波を労働力として吸収してきたその不安定な歴史からして、アメリカを――そのマジョリティが同一的な自己意識を共有する社会という意味での――一つの「国民（ネーション）」と呼ぶことは、本質的に不可能なのだということだ。アメリカとは、その内的矛盾によって帝国主義的な拡張を余儀なくされる段階に達した――（第二次大戦末期までの）第三帝国や日本帝国のような――国民国家ではない。そうではなくそれは、一つの国民国家であることを装いながらも、総称としての「世界」になることをつねに欲望している一つの帝国なのである。

アメリカにおける進行中の抗争において危惧されるのは、それが――ある種の異質的な連合の形式を発生させていくかわりに――、長期的な内戦に発展してしまうかもしれないという見通しだといえる。だがいずれにせよ、まさにそうした解体のプロセスそれ自体こそが、西欧帝国主義の勃興以来一貫して制度化されてきた人種主義的暴力からなるものである、普遍主義的な歴史が共有された数多くの国々において生じ、たがいに共鳴しあう反乱にたいして、惑星的な同時性というインスピレーションを送っているのだということもできるはずだ。

じっさい、パンデミックや進行中の弾圧の悪化が予想されるなかで、世界中の多くの人々にとって未来の見通しは暗いものだが、しかし同時にそれは、その未知なる性格ゆえに、不思議なことにどこか胸踊るものでもある。われわれはいま――世界の終わりという黙示録と、ありえるかもしれない惑星的な革命にたいする熱望のあいだで――、複雑な感覚のなかに浸っている。そしてそこにはさらに、感情のまた別のレイヤーが重なってもいる。すなわちそれは、揺るぎないものである自然が失われていくことにたいする深い悲しみであり、世界の退廃の責任を負うべき者たちにたいする燃えるような怒りである（アメリカ西海岸の友人たちが、加速する山火事に直面するなかで感じているそうした悲しみの深さや怒りの激しさは、およそ私には表現しきれないものだ）。

このように私たちはいま、奇妙にもどこか積極的なかたちで混乱しているのだといえる。そしてこうした未曾有の転機のなかにあって私はいま、危機と災害の相互作用に巻きこまれている現在を理解するために、破局をめぐる自著のなかでおこなった分析を、さらに展開していきたいと感じている。現在がもつその画期としての意味は、次の点にある。すなわちそれは、この世界が作られた様態を**黙示録的**に開示しつつ、自分たちが生きていくなかで、いったいどんなかたちでそれを作りだすことに手を貸しているのかを、あらためて思考させるものなのである。換言するなら、現在が開示するものは、世界を変えること（革命）にたいする、われわれの感覚に作用するものなのだ。そしてそこから生じてくる試みは、これまでよりもはるかに戦略的な多元性をもち、技術的な実質をもったかたちで、資本主義的国家の発展様式と対峙し、それを解体し、それに取って代わるものでなくてはならないだろう。十年ののちもいまだその妥当性を保っている以上のような教訓こそが、現在の起点にあるフクシマにおける原子力災害の根本的な贈り物（ギフト）なのである。

放射能とパンデミック

世界各国の政府のパンデミック対策は多岐にわたってある程度の幅をもつものであり、社会生活を厳密に管理するものもあれば、緩やかな管理にとどまるものもある。だがいずれにせよ――それが原子力によるものであれパンデミックによるものであれ――破局のなかでその他の問題が消えてなくなることはありえない。むしろすでにある諸問題は、はっきりと悪化していくことになる。破局はすべてを吸収し、そしてすべてを吸収することをとおして語りはじめる。したがってそれは、万人の精神に作用する一つの否定神学をつくりだしていく傾向をもつ。

日本においてはいま、どこの国でもそうであるとおり、民衆の精神と身体がパンデミックによって拘束されている。原子力災害は収束しておらず、放射能汚染の脅威はいまだ持続しているにもかかわらず、ウイルスにたいする恐れが加速するなかで、そうした脅威までもが沈黙を強いられている。ではいったい、原子力災害とパンデミックのあいだにはどのような共通点があるだろうか。

原子力災害における放射能とCOVID-19のパンデミックはどちらも、人間の世界と惑星的な環境の接続性が際限なく凝縮されることから生じた、その副産物だといえる。この二つは、資本主義的国民国家のとめどない発展をつうじて広がっていく総称としての〈世界〉が、それぞれに異なるかたちで具現化されたものなのである。両者はともに、カタストロフの広がりによっていまだかつて触れられてこなかった宇宙の封印が解き放たれ、そこから怪物たちが外に出て、(個人や社会や環境といった)われわれの実存的な領域にまでその突然変異の力を広げ、影響を及ぼしているのだという事実を証明するものなのだ。したがって資本主義的国民国家の発展がつづいていくかぎり、総称としてのこの〈世界〉にはますます多くの怪物たちが出現してくることになるだろう。

物理的に見れば、原子力災害とパンデミックはどちらも、われわれのDNAを変異させるものである。こうした変異は一方で、放射能の攻撃によるものであり、また他方で、ウイルスの寄生的な活動によるものだ。結果としてどちらも、人間の生命活動を危険にさらし、その社会的な再生産を物理的に中断させることになる。こうした衝撃は惑星全体に広がっていくが、しかしその伝播のパターンは目に見えないものであり、容易に検出することはできず、複雑なデータをもとにした推定という方法でしか把握しえない。どちらの場合においても、科学技術がもつその政治的な役割が前景化していくことになり、その一方で同時に、そこにある不確定さを源泉として情報戦争が発生していく。情報のさまざまな表象のあいだで生じる摩擦は、われわれの社会のなかでの出来事が、その舞台となる情報のネットワークの外に、おのずからそれ自体として存在することはないのだということを気づかせてくれる。結果としていずれの場合においても、対極的な対立が顕在化していく。一方で、ビジネスの利益や現状維持を優先する者たちは、まったくの嘘や矛盾するメッセージを広め、過度に情報を与えることによって、——すなわち真実を知ろうとする意志を失わせようという戦術によって——変異媒体(ミュータント)の影響にたいして民衆を無能化していく。だが他方で、命を守るために真実に向きあおうとする者たちは、その結論が何をもたらすことになろうと、先入観なく事態に対応していく。結果としてフクシマの場合、命を守るための基準に道徳主義的に従う者たち(いわゆる「ゼロベクレル派」)と、より柔軟なかたちで命を守ることを追求する者たちのあいだで衝突が生じることにもなった。災害が激化していく時期においては、たがいに相反する様々な態度のなかにおける力関係が、政治の地平を規定することになるのである。

ではあらためてここで、放射能とCOVID-19の差異とはなんだろうか。両者は異なるかたちで広がり、また異なるかたち影響を及ぼしていく。放射能は、——人間の活動をつうじてだけでなく、地質や気候といった——惑星的な運動とともに移動し、あらゆる生命形式の遺伝子活動を変異させていくものだが、COVID-19は、哺乳動物の、とくには人間の生きた諸器官を媒介として伝播していくものである。放射性核種は非常に遠くまで長い時間をかけて移動し、ナノ次元の把握しえないカオス的な様式のなかで地球上に広がっていくが、それがもたらす遺伝子の変異は、遺伝的な血統をつうじて伝播していく。ウィルスは短い時間でわずかな距離しか移動できないが、感染した細胞は、体液の飛散をつうじて、あるいは接触や、空気中に気化することによって、あらゆる人間に向けて広がっていく。そしてそれが広がり、変異していくにつれ、より強力な変異体が生き残っていく。放射能の影響は非有機的(あるいは機械的)で、時空間的に分散されているものだが、ウィルスの影響は有機的で、直接的に社会的諸関係を荒廃させていく。

放射能にたいする防衛手段としては、いまだ知られてはいない技術的・政治的手段によって、あらゆる生命活動をそこから遮断する必要があるだろう。だがそうした操作は、すべての惑星的運動を考慮に入れる必要があり、したがって従来の地政学の領域を超えたものになるはずだ。放射能にたいする理想的な防衛手段は、いまだ見つかっていないのである。一方で、ウィルスへの対策は原則として、社会的な操作によって感染した個人を隔離することだと考えられており、大衆的な身体性にたいするあらゆる種類の分断と、様々な社会活動の制限が必要とされる。パンデミックは社会的諸関係に直接的な影響を与え、われわれを激しく困窮化させるが、放射能は惑星的環境にたいして長期間にわたる影響を与えつづけ、われわれの考えが及ばない規模で広がり、そのまま未来にまでつづいていくことになる。

以上をふまえつつそれでは、放射能とパンデミックは、いったいなにを開示しているだろうか。逆説的にもそれらは、われわれにとっていったい何が本質的なものであるのかを、それが破壊していくものをつうじて教えてくれる。つまりそれらは、否定的なかたちでわれわれに語りかけてくるものなのだ。哲学的な意味においていうなら、破局とは一つのメッセージであり一つの教育なのだといえる。つまりそれは、人間が意識的におこなっていることと、惑星的身体にたいするその無意識的な影響の境界で生じる出来事であるというそれ自体の出自を、一つの教訓として手渡してくるものなのだ。

放射能は、それにたいして致命的な打撃を与えることによって、民衆と土地の関係が絶対に不可欠なものであることを教えてくれる。またパンデミックは、それを危険なものに変えることによって、諸身体間の物理的な相互作用がいかに欠くべからざるものなのかを実証してみせる。両者の究極的なメッセージは、以上のような二つの関係性がなければ、われわれは無なのだということである。同時にまた、放射能とウイルスというこの二つのものの動きや、その影響に対処することの難しさは、実存的な闘争や政治的なものの概念にたいする新たな文脈を開いていくことになる。この新たな文脈のなかでわれわれは、自らの生を防衛し、資本主義的国民国家を追放して、われわれの生存と幸福のための新たな実存的現実を創造することに、全力で取りかからなくてはならない。これこそが、現在という**黙示録的な啓示**の核心なのだといえる。これまで「政治的なもの」だと考えられてきた領域はもはや、氷山の一角にすぎないのだ。われわれはいま直面している政治的存在論は、社会的、政治的、経済的な危機にかかわるだけでなく、同時にまた、情報、放射能、ウイルス、環境というこれらすべてを巻きこんだ破局にかかわるものなのである。

構造的かつ機械的な暴力

『放射能と革命』の前提の一つは、地球規模における資本主義的国家的な発展様式の結合体こそが、この惑星の住人たちにたいする様々な暴力の様式を駆動するものなのだと考える点にある。とりわけ同書は、そうした暴力の様式のなかでももっとも複雑で忌まわしい部門である、原子力メガマシンに焦点を当てている。

こんにちの暴力としては、軍隊、警察、入国管理局、刑事司法などの国家機関による、累積した残虐行為の数々がまずもって挙げられる。だが以上がすべてではない。それを暴力の様々な様式がかたちづくる連続体の一つの極において存在しているものだと見なすとするなら、われわれは先に挙げたような暴力を、**機械的暴力**と呼ぶことができるはずだ。それは直接的で可視的で即座に行使され、個人か集団かを問わず多くの場合人の命を奪いかねない影響を及ぼすものである。このような暴力にたいして、民衆は即座に立ちあがることになるだろう。だがもう一方の極には、**構造的暴力**が存在している。こうした暴力の影響は、間接的で分かりづらく、緩慢で遠隔的なものである。その知覚されがたさのために、この種の暴力は、大衆からの即座の反応をつねに引きだすとはかぎらない。それは、「緩やかな暴力（スロー・ヴァイオレンス）」（ロブ・ニクソン）として概念化されてきたものであり、「見えないところで段階的に生じてくる暴力、時空間を超えて分散される遅延性の破壊をもたらす暴力、一般的には暴力だと見なされない消耗作用をもった」暴力である。こうした見方によるなら、——放射能汚染を含む——あらゆる種類の産業汚染や廃棄物の処理は、見えないものとされている世界の周縁部に住まう者たちに押しつけられる暴力だと考えられる。

以上をふまえていえば、——機械的暴力にかかわる兵器と、構造的暴力にかかわるエネルギーという二つの部門を含む——原子力メガマシンは、他のなによりも包括的な暴力装置であり、軍産複合体と呼ばれるものの主要部分をかたちづくるものだといえる。この惑星の住人たちは、——たとえば（ウラン鉱山や輸送業、加工施設や発電所などで）血と涙を流す労働者として、あるいは発電所によって共有地を取りあげられる者として、税金や電気代金を支払う者として、戦争の犠牲者として、治安対策によって犯罪者と見なされる者として、あるいは放射線被曝の犠牲者として——様々な次元でその犠牲になり、それに奉仕させられている。原子力兵器は、権力のための究極的な機械であり、たんに敵を破壊するだけなく、地球の表面から他なるものの歴史や、文化や、宇宙観（コスモロジー）の全体を絶滅させる機械なのだといえる。いいかえればそれは、究極的な**白紙還元**（タブラ・ラサ）機械なのである。

とはいえ――この点は強調しておくべきだが――、原子力メガマシンがもたらすものにかぎらず、資本主義的な発展様式のいかなる部門においても、様々な暴力の様式は多かれ少なかれ観察される。程度の差はあれ、この惑星に住まう者たちの大多数が、ある種の暴力の様式に晒されているのである。なかでも、民衆のなかでもっとも抑圧された集団に属する者たち――すなわち人種的・ジェンダー的なマイノリティや先住民、そして世界中の移民労働者たち――は、様々な暴力の様式が凝縮された集合体に苦しめられており、彼らの実存的な闘争は、そうした集合体となにより激しく対峙している。したがって惑星のいたるところに広がっていく目下の反乱の共鳴は、いったい誰がそうした暴力の集中に対峙し、また彼らはいったいどのようなアレンジメントのなかでそれに対峙しているのかを示すものなのだといえる。

＊＊＊

暴力と災害の重層化した相乗効果に対峙する民衆の実存的な闘争は、少なくとも三つの参加原則を含むことになる。その三つとはすなわち、Ⓐ生の防衛、Ⓑ対抗的政治、Ⓒ自律圏の創造である。Ⓐはパンデミックという災害に対応するための必須条件であり、またⒷは、世界中に見られる直接的で差し迫った暴力のただなかで、ますます激しく出現しているものである。その規模と強度において発展していくにつれ、Ⓑはかならず、いたるところに闘争のインスピレーションの力強い信号を発信していく。ⒸはⒶとⒷの両者に力を与え、この二つの繋がりを、コミューンという形式を取る反権力の領域として――特異的な闘争としての生のための、共有された基盤として――確立するために、欠くことのできないものである。

パンデミックが発生した当初において、なによりもまずⒶこそが優先されるべきだと考えられたが、しかしだからといって、ⒷとⒸが考慮の外に置かれていたわけではない。じっさいⒶとⒸを伴った相互扶助の試みが、ニューヨークのいくつかの街区（すなわちリッジウッドにおけるウッドバイン）[2]だけでなく、アメリカ全土で活発な動きを見せることになった。また Ⓑは、黒人男性ジョージ・フロイドが警察によって殺害されたことをきっかけに、反警察的な反乱というかたちをとって、パンデミックの最初のピークのさなかにはじまっている。黒人たちに導かれつつも様々な人種からなる群衆が、パンデミックによる拘束を超え出ていく怒りを伴いながら、都市から都市の街頭を次々に埋めつくしていった。ここで重要なのは、この動きが、Ⓐから Ⓑへの優先順位の変更を意味していたのではなく、われわれの現実の複雑さにたいする集団的な目覚めを意味していたという点にある。人々はこのとき、相乗効果を及ぼしあうパンデミックと暴力を、同時に相手しなくてはならないのだということに気づいたのだ! Ⓑがもつ力は、多くの人々の知覚に重大な影響を与え、帝国の構成の歴史に欠くことのできない要素であるアメリカ警察がもつその人種主義的な性格は、もはや改善不能なものなのだということを認識させた。このことは、次のような真実をあらためて確認することになった。その真実とはすなわち、政治的な改革を誘発するような世論の変化は、改良主義的な政治そのものによってではなく、民衆の意志の自発的で大規模な表現をつうじてこそ、いいかえれば暴動をつうじてこそ起こる可能性があるものなのだということである。

反乱のもっとも激しい期間は過ぎさったかもしれない。だがローカル化された抗議の形態や、自律的ゾーンを創造するための占拠、奴隷制の推進者や植民者を記念する彫像の破壊、あるいは民衆たちによる地域の警察と連邦政府当局の双方にたいする長時間の対峙など、反乱が広がるなかで展開された様々な行動の形式は、集団的な記憶として保持されている。国中のいたるところで、集団的な臨戦態勢が維持されているのだ。どこかの都市で警察による残虐事件が起きたとして、それが黙殺されることはもはやありえない。アメリカの警察の行動はいまや、メディアをつうじて惑星中で観察されることになったのである。

＊＊＊

だがこうした対抗精神のある部分は、二〇二〇年十一月の大統領選という政治的な二項対立に捕獲されてしまった。このスペクタクルの中心に位置していたのは、その大統領職がそのまま、アメリカに住まう者たちに破局的な状況を強制する人物だった。彼は狂った暴力の機械を体現し、国家の諸装置を一つまた一つと相次いで独占していく機械を体現していた。一方でバイデンの民主党は、社会の安定、国家の安全保障、憲法にたいする忠誠、そして世界におけるアメリカの覇権を訴えた。彼らはアメリカ帝国主義の正当な担い手であり、構造的で組織的な暴力装置を積極的に引き継いでいる。彼らに肯定的なにかを見いだすのは困難だが、しかしアメリカ国内では、例の狂った男を排除する絶望的な必要性によって、新たに生まれた対抗的な動向の多くの部分が、民主党への投票に引きこまれていくことになった。

バイデンは選挙に勝利したが、対立がつづいていくことは誰の目にもあきらかである。いまここであらためて、目下展開されている諸力の錯綜を図式化するとしたら、**同質的アメリカ**と**異質的アメリカ**という、存在論的に非対称的な二元性が浮かびあがってくることになる。

前者は、アメリカを、ヨーロッパからの植民者や移住者たちを祖先にもつ自己同一的な集団のなかで共有される価値が支配する国へと変え、他のすべての人々を犠牲にしてでも彼らの利益を実現し、その文化を優先するような統治を強引におこなおうとする動きである。歴史的に受け継がれてきたものであるそうした人種にたいする強迫観念は、アメリカに住まう異質な者たちを人種をもとにカテゴリー化し、分断することを強制しつづけている。そこにはあるのはつまり、アメリカを同質化しようとするプロジェクトなのである。そんなことは不可能であり、野蛮で馬鹿げたことであるだけでなく、地球的現実から見て時代錯誤と化していることだ。だがにもかかわず、以上のような狂信的な衝動こそが、あたかも自分たちだけの領土であるかのように、帝国の広大で異質な空間を支配し、そこもまた自分たちの連邦国家（ユナイテッド・ステイツ）の延長であるかのように、その覇権を総称としての〈世界〉にまで広げようとし、そしてけっきょくはアメリカの支配階級の利益に手を貸すことになっているのだ。

一方で後者は、ひとまずある水準からいうなら、異質な居住者からなる諸集団を指し示すものであり、そのなかには、先住民や黒人たちだけでなく、多種多様性の地平において存在しているあらゆる種類のマイノリティが——ヨーロッパ系の人々も例外ではなく——含まれている。こうした集団に含まれる者たちは、アメリカ帝国の悲劇の歴史を体現するものであると同時に、一つの文化的な多様性を体現しており、そしてそこにおいては、異質な民衆集団とその集合がこれまでに創造し、またこれからも創造していくだろう、あらゆるオルタナティヴなものが表現されていく。

したがって別の水準からいえばそこには、人々の闘争としての生をつうじて、人種的な同一性のようなものを粉砕しうる潜在的な力が存在しているのだといえる。こうした意味において**異質性**という言葉は、たんに人々の出自の多種多様性を意味するものではなく、その生成の多種多様性を意味するものなのである。究極的にいえばそこには、帝国の内部にありながらも、外に向かってその集団性を展開していく**惑星的な諸力**が存在しているのだ。そこでの闘争は、地球のいたるところで生じる闘争や反乱にインスピレーションを与えるものであると同時に、そうした闘争や反乱からインスピレーションを受けて生じるものでもある。異質的アメリカにおける実存的な闘争は、それぞれが特異な文脈で展開される生、対抗的戦闘性、自律圏という三つの領域にしたがって、多層的で多時間的な次元に影響を与えていく。そしてこうした闘争のモデルは、無数の国々のマイノリティたちが、凝縮された暴力の集合体を相手に、歴史をつうじ世代を超えながらも、しかし**同時に**戦ってきた、長期間にわたる闘争のなかに見いだされる。

アメリカから〈世界〉へ――すでにはじまっているかもしれない解体

ジョージ・フロイド反乱の数々の局面はこれまで、アメリカ社会のいたるところに生じている裂け目をあきらかにしてきた。こうした啓示は、反乱の共鳴とともに、ヨーロッパやその他の地域に伝えられていく。結果として歴史にたいする反省を求める欲望が生みだされ、地球的な規模で共有されていき、近代的な資本主義的国民国家の構成においては、三角貿易以来ずっとつづいている人種主義的な暴力が**普遍的に**作用しているのだということが、あらためて確認されていく。以上のように、現在進行形で広がっている反乱の共鳴は、不可逆的なものを逆転させる試みとしてそれを解体するために、総称としての〈世界〉が西欧植民地主義の所産であることを、あらためて**さらにもう一度**認識させるものなのだ。そしてそれこそがいま、普遍的なものの廃絶や、惑星的な蜂起の原動力となっているものなのである。

象徴的なことだが、二つの大きな転機を中心としたアメリカ帝国の形成は、総称としての〈世界〉の形成において重大な役割を果たすものだった。ここでいう二つの転機とは、一六世紀後半における大西洋、そして二十世紀半ばにおける太平洋という、二つの広大な空間の暴力的な囲い込みのことである。

一つ目の転機は、三つの大陸を接続させることによって〈世界〉の全体化を開始するものだった。ヨーロッパの冒険家たちが大西洋を横断してアメリカ大陸に介入し、そこに存在していた社会を一掃して、その価値や、文化や、宇宙観(コスモロジー)の数々を抹消し、アフリカから強制的に連行されてきた奴隷たちの血と涙をもとにして植民地を築くための経済的な土台を構築していった。それは銃器とキリスト教と公理的なもの(同一的な価値の形式)を利用して生みだされた、制度的な人種主義や同質性の起源であり、のちにつづいていく重商主義的な資本主義国家の発展が可能になる道を整備するものだったのである。

それ以降、植民地化されたアメリカの領土は、(弾圧や飢饉や戦争や災害といった)祖国における危機から逃れてきた難民や移民たちの波を次々に吸収していくとともに、労働力の需要が変わると、今度はその数を規制していった。結果として、世襲的な血統にもとづき、植民地支配者を頂点に置くアメリカ社会の階級的なヒエラルキーは、その中間に移民たちを、そしてその底辺に先住民と奴隷たちを置くかたちで人種的に分断されていった。中産階級の下層部分は、上流階級に追従する自警団として、治安の取り締まりという呪わしい役割を担っていく。一方で、先住民と奴隷たちという底辺における二つの名は、「アメリカ」という固有名の通奏低音として、つねに鳴り響きつづけてきた。したがってアメリカにおける革命とは、彼らの名のもとに新たな世界を創造すること以外ではありえないのである。

二つ目の転機は、二十世紀のなかばにおいて、カリフォルニアを超えて太平洋の先へと、アメリカ帝国をさらに拡張させていくことになった。全体化のこの第二の波は、東洋と西洋を崩壊させることになる。つまりこのとき、アジア大陸の向こう側からその触手を伸ばしていた日本帝国軍と米軍が衝突し、最終的には前者が、核攻撃によって敗北したのである。

世界大戦における勝利は、グローバルな覇権がヨーロッパからアメリカへと——経済的にも（フォーディズム）、軍事的にも（戦争と平和の双方に仕える原子力）——移行し、膨大な量の権力と知識が前者から後者に移ったことを告げるものだった。（ロバート・オッペンハイマー、エドワード・テラー、エンリコ・テルミら）ヨーロッパにおける最先端の物理学者たちとアメリカ軍の破滅的な協定をもとにして、マンハッタン計画が実現され、そこからすぐに、原子力エネルギーの民間使用が考案されていった。結果として原子力は、暗黙のうちに軍部と民間を接続すると同時に、両者を管理するようになっていく。合衆国はこうして、——植民地主義的な西方への拡大の極限である——大西洋と太平洋の双方において支配的な権力と化し、朝鮮戦争とベトナム戦争にたいしても軍事介入をつづけていった。こうした動きは、九・一一以降も、（アフガニスタン、イラク、パキスタン等々において）いわゆる〈テロとの戦争〉をつうじて継続されていく。

警察暴力にたいするここ最近の反乱——ことにそれがもたらす惑星的な共鳴——は、われわれが忘れるわけにはいかない歴史的事実を思いださせてくれる。その事実とはすなわち、合衆国の体系的な人種主義は、アメリカ国内の統治においてだけでなく、その外交政策においても作用しているものなのだということである。より正確にいうなら、アメリカ帝国とは、体系的な人種主義による西部植民地の全面的な拡大をその起源にもつものに他ならないのである。アメリカの介入主義は、こんにちにいたるまでずっと、国務省が主張するような国家安全保障によってではなく、帝国それ自体を維持するための力学によって要請されたものなのだ。この力学には、求心的な運動（富と労働力を外部から吸収すること）と、遠心的な運動（外部へ向かって帝国主義的に拡張すること）の二つが含まれるが、これらの運動はどちらも、人種主義的な暴力によって、すなわち国民と世界の同質化によって制御されている。

ヒロシマやナガサキでの残虐行為は、いったいなぜ西欧諸国にたいしておこなわれなかったのか。ドイツやイタリアといった敵国にたいしてさえ、そこまでの破壊は想像すらできなかったのではないか。つまりあの攻撃は、太平洋の果てにあるアジアの他者の領土にたいしてのみ考案されたものだったのではないだろうか。多くの批評家がこれまで、以上のような疑問を提起してきた。だが第二次大戦から現在までにかけて、非西欧の他者の土地や民衆にたいしてアメリカがおこなってきた残虐行為にたいしても、まったく同じ疑問を投げかけることができる。

アメリカの帝国主義者たちは、核分裂のテクノロジーによって、世界の他者性を抹消するための完璧な機械を発見した。それがもたらすカタストロフ的な消去は、理想的な状態——すなわち**白紙還元**（タブラ・ラサ）という状態——を視野に入れつつ、資本主義的国家的な発展様式を支えていくことになる。また同時期にアメリカは、自国内において、大量生産にもとづく**白紙還元**（タブラ・ラサ）の文化を完成させる。自動車による移動、高速道路のネットワーク、郊外型の生活（および核家族）、スーパーマーケットの食料、ショッピング・モールにもとづく社会性。こうしたものはみな、石油経済によって促進されたものであり、異質な生の形式の数々がもつ特異性を実質的に消し去ってしまうものである。そこにあるのは、「非‐場所」（マルク・オジェ）にもとづく文化生活であり、ローカルなコミュニティや環境との特異な関係なしに構築され、われわれの実存的な関与の痕跡をほとんど残さぬまま、ただ通りすぎ、消費されるだけであるような空間にもとづく文化生活だといえる。

***

だがいまや、資本主義的国家的な生産様式は、惑星的身体にたいする物質的な限界に達しており、そのことがもたらす効果は、生態学的（エコロジカル）な災害、経済破綻、社会的・政治的な危機として具体化し、惑星的な規模で人々の再生産に甚大な悪影響を及ぼしている。そうした効果はまた、長らく総称としての〈世界〉の全体化の先頭に立っていたアメリカや、その他の西欧諸国の権力が衰退していることのなかにも、はっきりとあらわれている。とくには中国帝国の台頭と対峙するなかで、アメリカ帝国の発展の運動はその限界に達している。そこで繰りひろげられてきた**白紙還元**（タブラ・ラサ）の文化生活は、根本的な危機に瀕しており、郊外型の生の形式のなかでだんだんと露わになっているとおり、心身の非可逆的荒廃が見られはじめている。

大統領職についたトランプは、そうした衰退にたいするもっとも性急な対応を、すなわちそれを全面的に否定するという対応を示してきた。そんなものはもはや時代にそぐわないものなっていたにもかかわらず、同質的なアメリカを拡大・伸長させようという政策を支持していたという点で、彼の政権はそれ自体として一つの破局だったといえる。だが、まさにそうした時代錯誤性によってこそそれは、——植民地時代以来ずっと支配階級に仕えてきたことを誇りに感じながら、帝国の衰退によって誰より荒廃することになった階級に属している——怒りに満ちた民衆を結集させるためのもっとも効果的な触媒として機能してきた。現実を受けいれる代わりに彼らは、銃とキリスト教と人種的アイデンティティという、自分たちが歴史的に受け継いできた三つの装置を物神崇拝している。その一方でまた、武装した人種主義が総称としての〈世界〉の様々な社会で台頭しており、そうした地球規模の傾向が、独裁者のインターナショナルの一角をなすというトランプの究極的な理想に随伴している。

そうした武装した人種主義は、連続する多面体を構成する様々な暴力の様式の、一つの極を体現したものでもある。多くの国々の文脈において、武装した人種主義を担う者たちの究極的な役割は、構造的かつ組織的な暴力的企業の数々に仕える前衛だといえるかもしれないが、しかし彼らはしばしば、そうした企業にたいして劇的な攻撃を仕掛ける場合もある。

したがって以上のような状況全体に一挙に対峙する必要がある民衆の実存的闘争は、主体性、社会、環境といった実存的領域に広く配分され、そのどれもが多種多様な時空間のなかで展開される実践の数々を巻きこんでいくことになる。目下進行中の状況下においてこうした闘争は、世界的かつ普遍的な権力のアレンジメントを差別的な暴力という見地から理解することを可能にする、廃絶主義（アボリショニズム）という趨勢によって強い力を与えられている。

西欧植民地主義がもたらしたもっとも壊滅的な影響は、国民国家だけによって構成されたこの地獄のような〈世界〉を生みだしたことにある。反植民地主義的な独立運動は、共産主義インターナショナル（コミンテルン）による社会主義運動同様——ひとたび植民地主義的で権威主義的な政権の追放に成功してしまうと——、それ自体が国民国家になってしまう。西欧の国民国家による外圧に耐えるために、彼らと同等の権力装置をかたちづくることが、その勝利を維持するための必須条件だったのである。

「原国家」（ドゥルーズ＋ガタリ）の近代的な具現化である国民国家には、存在政治的なパラドックスが備わっている。すなわち、その内的な全体性が一つの装置となるためには、かならず外的な諸力との対立的関係を経なくてはならないのだ。その原初的な意味において見るかぎり、国家はいつも同じことだけを繰りかえしている［＝非歴史的なものである］。それは様々にありうる「独立」の形態をつくりだすが、しかし自律圏を創造することはないのである。専制政治のメカニズムは、異質的な群衆の身体と精神を捕獲し、それをその内部においてヒエラルキー的に組織化していく一方で、外部からの介入によって土地を領土化し、宇宙観的（コスモロジカル）な構造を、いいかえれば「メガマシン」（ルイス・マンフォード）を構築していくことにある。資本主義的国民国家の時代において、資本に備わったそれ自体を拡大再生産していく必要性は、国家によって軍事的に促進されると同時に、国民と国民の富の蓄積のために、土地を排他的に領土化していくことになる。しかしそこには、外部性（外交や移民にかんする政策）にたいする、内部性（国内の統治）の実存的な優位が存在しており、そうした優位性こそが異質な群衆の生と精神を捕獲し、彼らを「国民（ネーション）」という閉じられた共同体のなかに封じこめていくのである。内部性と外部性の原初的な分節は、あらゆる資本主義的国民国家がその前提にする制度化された人種主義の——すなわち同質性の——存在論的な基盤なのだ。

共産主義インターナショナル（コミンテルン）の時代には、自国の戦争に参加するか、労働者インターナショナルの一員となってそれに反対するかという、労働者たちの選択をめぐる議論が過熱していた。インターナショナリズムとは、革命運動がその主要な障害物である国民国家による分断に対峙しなくてはならないような状況のはじまりを告げるものだった。反グローバリズム運動は、対抗の主な焦点が、地球規模で拡大する資本に置かれるという特殊な局面を経験した。グローバル・サウスにおける民衆運動だけでなく、北半球におけるマイノリティや反権威主義者たちの運動を含んだ様々な運動が、サミット・ホッピングと世界社会フォーラムをつうじて、国家の介入から比較的自由な交流を経験した。二〇〇八年の金融崩壊以降、ラディカルな闘争はどんどんと困窮化していくローカルな状況にその焦点を移していく一方で、国という境界線を越えた地球的交流を、非公式かつ不可視の連結によって成熟させつづけていった。

だが二〇一一年以降、災害と危機の相乗効果のなかで、資本主義的国民国家の同質的な諸力は、あらためて地球のいたるところで返り咲くことになった。民衆の実存的な闘争はいま、異質的な力で武装することでそれに対峙している。そうした力は、土地との特異な関係を再発見し、共に生きることの新たな形式を創造することにもとづき、あらゆる場所の反乱と共振しながら立ち上がることによって、同質性の装置を解体していくものだ。いま現在闘争としての生は、資本主義的国民国家による同質的な全体化によって――とくにパンデミック化における国内への監禁によって――、その多くの部分が捕獲されてしまっているが、しかし一方で、そこにある異質性は、分散と共鳴のあいだで集団的に揺れ動く別の衝動を養成してもいる。

国としての独立が解放の地平を創造した時代は終わった。こんにち、世界の民衆の自律は、国の領土内やその領土を越えたところに数々の飛び地を創造することによってこそ達成される。アメリカにおける先の反乱がもつ惑星的な意味は、それが――帝国の破砕をつうじて、分散と共鳴をつうじて――世界のいたるところで、資本主義的国民国家を解体する衝動を助長している点にある。こうした衝動がわれわれをどこに導くのかは分からないが、いずれにせよそれこそが、目下においてわれわれが共有しているもっとも希望に満ちた展望であるように思われる。

政治家たちが、アメリカは一つの「国民（ネーション）」なのだという絶望的な主張をどれだけ繰りかえそうとも、アメリカがもつ異質性は、それを同質化しようとするような国家装置の試みにつねに抵抗しつづけてきた。アメリカとは、その内部に総称としての〈世界〉を含む世界である。それはクラインの壺のような、一種の位相空間だといえる。そこには――同質性と異質性という――非対称的な生成があり、それに向きあうなかでわれわれは、まるでダブル・バインドにとらわれるように立ちすくんでいる。率直に言ってわれわれはみな、アメリカを愛しているとともに憎んでいるのだ。人種主義の戦争によって血に濡れたその名を、いったい誰が愛せるというのか。だが一方で、そこに住まう**惑星的な**人々がもつ創造的な潜力を、いったい誰が憎むことができるだろう。

訳註

▼1　ヘルベルト・マルクーゼの教え子にあたる社会学者カツィアフィカスのいう「エロス効果」については、たとえば George Katsiaficas, "Eros and Revolution", *Radical Philosophy Review*, Vol. 16, No. 2, 2013, pp. 491–505 を参照（https://static1.squarespace.com/static/5ebdbc8bbc7d4955c7859db2/t/5f662e109c2b2577e390f058/1600531989129/EROS+AND+REVOLUTION+RPR+16.2+2013.pdf）。

▼2　ウッドバインは、ニューヨーク市クイーンズの一角リッジウッドに拠点を構えるコレクティヴであり、「実験のためのハブ」。フードパントリーや語学レッスン、あるいは自律的なコロナ対策のプロトコルの作成など、彼らが組織している多様な相互扶助の試みについては、https://www.woodbine.nyc/mutualaid を参照。

破局の十年をしかるべく反復するために——訳者解題

以上に訳出したのは、ウェブサイト『ザ・ニュー・インクワイアリー』[1]に二〇二〇年十二月十四日づけで掲載されたサブ・コーソによるテクスト「放射能、パンデミック、蜂起」の全文である（https://thenewinquiry.com/blog/radiation-pandemic-insurrection/）[2]。まずはここでの議論の前提となっているコーソの著作『放射能と革命（*Radiation and Revolution*）』（Duke University Press, 2020）について、——詳細はやがてなされるだろう邦訳に委ねつつ——ごく簡単におさえておこう。

『放射能（ラディエーション）と革命（レヴォリューション）』

十年前の複合的な災害がもたらした破局的状況と、そのとき束の間垣間見えた「革命的断絶の契機」、だが、にもかかわらず数年足らずで訪れたかつての現状の回帰。こうした経緯を、日本で生まれ育ちながらアメリカに渡った移民として見てきたコーソは、あらためて原子力の問題に向きあい、二〇二〇年十月に刊行された『放射能と革命』において、「世界秩序の支配原理」としての原子力の存在を描きだしていく。そこでの分析によるなら、原子力とはたんなるエネルギーの源泉にとどまるものではなく、狭義の政治における人称的な権力の彼方で、「総称としての〈世界〉」を形成し維持しつづけている、「帝国」のインフラ装置として機能しているのものなのだ。

　したがって原子力の問題を考えることは、一国のエネルギー政策や公衆衛生の問題を考えることにとどまるものではありえない。それはそのまま、帝国的欲望をあらわにしつつその勢力をこの惑星全体に拡大してきた、覇権国家アメリカを考えることに繋がり、その背景にある西欧的な普遍主義を考えることに繋がっていく。固く脚韻を踏むそのタイトルがすでに雄弁なとおり、災害がもたらす破局によって解き放たれた放射能（ラディエーション）の問題に向きあうことは、自明なものとして広がっている総称としてのこの〈世界〉をまったく別のものに変えようという欲望に、すなわち惑星的な革命（レヴォリューション）への欲望に接続されるべきものなのである。

廃絶主義（アボリショニズム）的闘争のABC（D）

したがってこうした議論を踏まえつつ、『放射能と革命』刊行以降めまぐるしく展開していた状況を受けて書かれたこのテクストが、やはり放射能の問題を起点としながら、この間のパンデミックを受け、そしてその渦中に生じ惑星全土に共鳴していった蜂起の数々を受けて、一種のアメリカ帝国論となっているのは当然のことである。原子力や放射能をめぐる問題、そしてパンデミックという問題は、帝国的秩序を構成する普遍主義的な諸制度に抗して立ちあがった、廃絶主義（アボリショニズム）的闘争と同じ政治存在論的地平に位置づけられるべきものなのだ。

　資本主義や国民国家という枠組みそれ自体だけでなく、警察や司法など、総称としてのこの〈世界〉を構成するなかで自明なものとみなされてきた制度の数々（原子力も筆頭として挙げられるべきその一つである）を、——改善・改良するのではなく——廃絶すること。[3] それこそが、——一見してどれだけ迂遠で、あるいは不可能なことに見えようとも——現代という「終わりなき災害の時代」のなかにあって私たちが取るべき、唯一の解決策なのである。

いうまでもないことだが、しかしここで注意しておこう。コーソの提示するこの解決策は、度重なる災害とそれがもたらす破局のなかで、なかば自壊しつつある諸制度を横目に見ながら、自分たちの動揺や無力から目を逸らすために提示される無数の解決策のたぐいとは、一線を画すものだ。彼の示す解決策は、画餅を掲げる未来主義や、絶望的な反動主義といったニヒリズム的動員とは無関係に、あらためていまあきらかになっている〈状況としてのアナーキー〉（ライナー・シュールマン）を受けいれ、あくまでも脱構成的な現在にとどまること、そこに開かれている断絶にとどまることを要求する。

だが人はいうだろう。自分たちが身を置いていた根拠＝足場が失われたのだとすれば、私たちはそのまま、無底の奈落に沈んでいくしかないのではないだろうか、と。こうした問いに答える以前に指摘しておくべきなのは、その問い自体のなかにすでに、ニヒリズムの端緒が含まれているということである。コーソの分析が優れているのは、それ自体として罠であるそうした問いに答えるかわりに、実効性をもつものとして機能している民衆たちの闘争を指し示している点にある。それまで信じられていた足場が失われたあとも、立ちつづけ立ち上がろうとする者たちが、じっさいに存在しているのだ。かつて敷石の下に砂があることが見いだされたように、諸制度が廃されてなお、「〈地球〉という地平」が見いだされていく。

ただしそれは、所与のものとして与えられているわけではなく、闘争の過程でたえず動的に編成されていくものだ。このテクストでコーソが図式化するところによれば、惑星そのものに根差そうとする廃絶主義（アボリショニズム）的闘争は、「Ⓐ生の防衛、Ⓑ対抗的政治、Ⓒ自律圏の創造」という、少なくとも三つの参加原則からなる。たとえばパンデミックのさなかに生じたアメリカにおける先の蜂起のなかで、これら三つの原則はいかに作用しあっていたのかが、——そこで生じていた軋轢や失敗も含めて——実践的に思考されなくてはならない。破局のただなかにあって彼が示す解決策はこのように、これら三つの実践領域を強化・交流させていくこととと切りはなすことができないものなのである。根拠が失われたあと、それでもなおそこにある〈地球〉や惑星といった地平は、実践領域の強化・交流という動的で不安定な過程のなかで、——この間に書かれた彼の別のテクストでの補足を踏まえていうなら[4]——帝国の掲げるそれとはまったく異なる「Ⓓ新しい宇宙観（コスモロジー）」として、積極的に養成されていかなくてはならないものなのだ。

悲劇でも喜劇でもなく

このように、すぐさま複合的な実践を呼びこみ、その過程でさらに、別の宇宙観（コスモロジー）という思弁的領域を要請しもするコーソの解決策は、それ自体が一つの答えになることを、いいかえればなんらかの理念や理想となり、新たな根拠になることを拒んでいるのだといえる。したがって、あえていいかえるならそこには、取り除きえない本質的な不安定さがあるのだといえるだろう。だがそれは、けっして瑕疵ではありえない。

　ここで最後に、思想家としてのコーソの出発点の一つに、アートの問題があったことを喚起しておきたい。これまで日本語で発表されてきたテクストのなかで、彼が繰り返し言及してきた人物の一人に、美術批評家のハロルド・ローゼンバーグがいる。時期による限界を見定めつつ、なかでもコーソが注目するのは、『新しいものの伝統』のなかにあらわれる反復論である。マルクスによる歴史反復論——歴史は一度目は悲劇として、二度目は喜劇として反復される——を踏まえつつ、ローゼンバーグはしかし、次のように書いている。「ヘーゲル主義的マルクスにとっては、歴史的状況がその真の主役を生産しえないなどとは思いもよらないことであった。だがわれわれにとっては、同一性の放棄こそが歴史的行動への第一の条件であろう」。

　問題は、過去の歴史を一つの拠り所として、単線的な時間のなかを行きつ戻りつしつつ、そのなかで喜劇や悲劇を演じることそれ自体にあるわけではない。その反復論を自著のなかの一つの梃子として汲みこんだジル・ドゥルーズによるなら、ここでローゼンバーグが向かおうとしているのは、「何か新しいものが生産され、しかもそれによって主役が排除されるような」反復である。以上のような議論を受けつつ、ある論考のなかでコーソがいうとおり、問われているのはつまり、「過去の歴史的出来事の喜劇的／悲劇的反復を往復しつつ、その中からまったく新しい出来事＝創造の契機が出現する可能性」を探ることなのだ。[5]

しかし同一性が放棄されるという、まさに不安定きわまる反復のなかで出現するこの可能性を十全に受け取るのは、資本主義的国民国家の発展様式を担ってきた従来どおりの人間ではもはやありえないはずである。主役は排除されなくてはならず、西欧普遍主義に象られた人間という制度は廃絶されなくてはならないのだから。だがだとしても、諸々の実践的な領域を交差させるなかで、そうした地点まで「自分たちの正当性を手放すこと」（不可視委員会）ができるだけの力量を手にし、いまだ名前のないなにかに生成するのでなければ、根拠の失われたあとに残る「〈地球〉という地平」においてなおも私たちが立ちあがり、そこに住まうことは叶わないのである。[6]

＊＊＊

十年の歳月のなかで、私たちが当事者として経験したあの災害と、それがもたらしつづけている破局は、相対的な忘却のなかにある。周年を画期とする発想に意味があるとも思わないが、いずれにせよ私たちは、あのときなにがあり、あれからなにが起こっていったのかを、あらためて思考していくべきだろう。あるいは、いまある忘却はいったいなにによるものなのか、それはなにを意味しているのか、たとえばそこに積極的な意味はあるのか――パンデミックがさらに重なり、破局的な状況が厳然として継続しているなかで、問われるべきことは無数にあるはずである。あのとき、そしてあれから、「生の防衛」は、「対抗的政治」は、「自律圏の創造」は、いったいどのように機能し、あるいは機能していなかったのか。あの災害からの日々を、現状の回帰に終わった喜劇と見なすのでも、いまも無力を強いつづける悲劇と見なすのでもなく、しかるべく反復してみせるために。コーソによるこのテクストは、そのための力強いきっかけになるはずだ。

訳註

▼1　著者は、日本においてはむしろ、日本語表記である「高祖岩三郎」として知られ、日本語で文章を発表するときはいまもその表記を用いているが、ここでは、ひとまずは英語圏に向けて英語で書かれたテクストの翻訳であることを考慮し、著者とも相談のうえ、英語圏での著者名を音写した「サブ・コーソ」という表記を採用した。

▼2　このテクストは、同サイトのなかでリエゾンというコレクティヴが不定期に連載しているブログ記事の一つとして投稿されたものでもあり、リエゾンとコーソの一種の協働によるものでもある。リエゾンについては、https://fr.liaisonshq.com/ を参照。またこのテクストは、すでに出版されているフランス語版（Éditions divergences, 2021）、ケベック・フランス語版（Éditions de la rue Dorion, 2021）の序文として翻訳されてもいる。フランス語版のテクストについては、https://lundi.am/Radiations-pandemie-insurrection を参照。

▼3　廃絶主義（アボリショニズム）について、日本語で読めるものとしては、たとえば『BLACK LIVES MATTER――黒人たちの叛乱は何を問うのか』（河出書房新社、二〇二〇）を参照。

▼4　高祖岩三郎「蜂起の惑星的共鳴」、『福音と世界』二〇二一年二月号（新教出版社、二〇二一）を参照。

▼5　高祖岩三郎『流体都市を構築せよ！――世界民衆都市ニューヨークの形成』青土社、二〇〇七、一七四‐一八〇。

▼6　同一性の放棄という主題にかんしては、それが実践的・理論的に展開されるさいの困難までも含めて率直に書かれている、アリエル・イスラ＋高祖岩三郎「傷だらけのアナキズム」（『ＨＡＰＡＸ』第一一号、夜光社、二〇一九）が必読である。

何も共有していない者たちの共同体
アルフォンソ・リンギス 野谷啓二 訳
汝の敵を愛せ
アルフォンソ・リンギス 中村裕子 訳
危険な情動
「クズ共」のために
Home

霊の労働

The Work of Spirit

Shingo HORI & U-ko AMIDA
from Conspiracy of God/ Amitabha Co.

彫真悟&阿弥田U子 from 神佛共謀社

そのとき魂は、さながらひとつの世界——現実の世界であれ、理念の世界であれ——がもうひとつ別の世界にさしのべた腕となる。それはもうひとつの世界をつかみ、それを自分につなぎとめる腕であると同時に、その世界からつかまれ、その世界につなぎとめられる腕となるのだ。

——ゲオルグ・ジンメル

海の神性

なぜ、神について語らねばならないのだろうか。この問いは、じつのところさしたる答えを必要としない。わたしたちにとって、神とは自己であり、他者であり、自然である。ただし、自己や他者や自然についてさえ語ればよい、神なしに済ませられるというものではない。チャールズ・テイラーの言葉でいえば、それは排他的人間主義の受け皿となる。人間的な生から超越的な契機を取り除き、現世的繁栄の外側にはいかなる充実も生じえないとするこの立場は、宗教的な生は内面的・観念的に生きられうるものだとする宗教改革を逆説的な契機として成立したのち、種々の人文・社会科学を規定するエピステーメーとしての地位を確立しているように思われる。富を積み上げる人間の活動がみずからの生きる星の地層すら切り崩している人新世は、そのひとつの帰結であろう。

むしろこう問わねばならない、なぜ、神について語らないのだろうか、と。マルティン・ブーバーやエマニュエル・レヴィナスが、他者を問うにあたり神を問うたのは、たんなる個人的・時代的な文脈のゆえだったのか。そうではないだろう。あの燔祭は、他者という観念があらわれてくるひとつの場面だったのではないか。また、楽園で知恵の木の実の存在を教えた蛇はどうか。あるいは、ひとりではなくふたりとして――この場面に「男と女」しかみとめない異性愛主義の呼びかけには屈さない――すなわち多数のものとして創られた人間とはなんなのか。そうした問いかけは、原初の創造の時にまでいたりつくだろう。自己、他者、自然、神はそのすべてに関係し、そのすべてをよしとした。「海は、美しい礼拝堂になると思いませんか」（ヴェイユ二〇二〇、六九）。友にたいするシモーヌ・ヴェイユの語りかけは、たんなる修辞ではない。そもそもわたしたちは海からきた。また海はいまも、雲となり雨となりまた大地に浸潤して循環し、生きること、死ぬこととの営み全体を支えている。海の実在、海の潜勢力、これを感じ取るものはみな、神の内にある友である。▼1 そしてそうした感覚力は、霊性と呼ばれている。

霊の捕獲

わたしたちが生きているのは、おそらく歴史上でもっとも手軽に霊性に触れられる時代である。聖書が教職者に独占されていた時代をはるか超え、書店に並ぶムック本から手元のスマートデバイスにいたるまで、霊性はあらゆるところで顕示されている。

　監視社会の批判で知られるデイヴィッド・ライアンはその宗教論『ジーザス・イン・ディズニーランド』において、ある現象を報告している。カリフォルニア州マンハイム、本家本元のディズニーランドにおいて開かれる、キリスト教保守団体の伝道集会である。これは、組織宗教と霊性を等号で結び、両者はともに近代化とともに消え去っていくとする古典的な世俗化論からすれば、奇妙なものと思われるかもしれない。だがライアンによれば、近代化がもたらしたのは教会という特定の組織宗教形態の退潮にすぎない。旧来の領土から脱統制された霊性はＩＣＴｓのグローバルな網の目を経由し、いかようにも散種されうるようになった。霊性はいまや、現在の高度情報通信社会をフローする資源となったのである。

　このさい、規制緩和やフローといった市場のメタファーが用いられていることは注目に値する。ライアン自身はこうした資源を動員した実践をあくまで真剣なものととらえ、そこに一抹の希望を見出しているものの、予断は許さない。じっさい、フローする霊性は最悪のばあい、ネオリベラリズムの統治下における経済合理性の貫徹がもたらす矛盾を鎮静させる「資本主義的スピリチュアリティ」「スピリチュアル資本」(Carrette & King 2004) になりはてるだろう。もはや秘儀（ミステリオン）はなく、霊性は資本によって啓示されているというわけだ。あるいは、枕詞を民主主義に代えてもよいだろう。ニコラス・ローズは、明白にスピリチュアルなものからポップ心理学までの種々のセラピー言説を、自由で民主的であろうとすればするほど特定の自己の型へと鋳直されていく操行の一環としてとらえる。ときにそれは、資本主義的スピリチュアリティとは反対に、資本主義への抑制的な態度――民主主義！――すら醸成するかもしれないが、それは統治自体への抵抗を意味するものではない。啓示された霊性は自己統治のマニュアルとして活用されている。

　では、どうすればいいのだろうか。ローズは、徹底的に「表面的」であるような倫理を提案する。「外部から内部に向かう志向性を持たず〔…〕主体性が割り当てられ、収集され、行為へと方向づけられる倫理」(ローズ二〇一六、四三六)である。もっともその陰画としてあるのは、もはや主体の規律化を必要としない統治、ジル・ドゥルーズの指摘するコントロール権力への移行であり、その純然たる引き受けであろう。AIやアルゴリズムによる社会信用システムは、行動を追跡・点数化し、それらを計算したデータへと個人を置き換える。個々人の内面的倫理を問わず、結果として社会全体の幸福の最大化がなされればそれでよしとする統治功利主義は、たしかに古典的な主体性による統治からの出口（イグジット）として見えるかもしれない。ニック・ランドのようなシニシストが資本主義の加速のさきにリベラリズムの「大聖堂（カテドラル）」の外部を期待するのも、無理からぬことである。

　こうして、なにをなすべきかが明らかになる。すなわち、資本主義的スピリチュアリティとしての自己啓発に対する防衛術、「闇の自己啓発」(江永ほか二〇二一)である。暗黒啓蒙からテクノロジーによる身体改造、反出生主義までを経由して「自他の区分すら融け出す特異点」(前掲、四)へいたりつけ。その過程では、次のようなことすら可能になってしまう。否、いえてしまう。「言語とアルゴリズムというと、外国から出稼ぎに来た人たちが夜中に騒音を出してしまって、地域は言葉も通じない中それとどう向き合うか、という話を聞くけれど、アルゴリズムで「騒音を出したら点数が下がる！」っていうふうになったら一挙に解決されそうじゃないですか」。「ほんまそれですね」（前掲、八〇－八一）。

霊の身体

なにが「ほんまそれ」なのか。この発言が、「外国人」の存在を危険因子とみなして排外主義的なジェントリフィケーションを推し進める、あるいは公園に集う若者を迷惑としてモスキート音を垂れ流す装置を設置するといった唾棄すべき行政的管理と、その感性においてなにも変わらないという当然のことを、まずはいっておく。はっきりいって、そのような言論は間違っている。そのうえでもうすこしいいたいのだが、その言論の道筋はどこから、あるいはどの程度深く間違っているのだろうか。

さしあたり問題なのはテクノロジーである。[2]『コンヴィヴィアリティのための道具』において、イヴァン・イリイチはいう。「世界はいかなる情報も含んではいない。それはあるがままの姿でそこにある。世界についての情報は、有機体の世界との相互交渉を通じて、有機体のなかにつくりだされるものだ。人体の外部での情報補完について語ることは、意味論的なわなに落ちることになる。〔…〕私たちが決定をくだすためのデータと決定それ自体をとり違える場合にも、おなじことが起る」（イリイチ二〇一五、一九二）。

なにかしらの知は、世界と接触し交渉することをつうじてもたらされる。[3]そうした知の生起は神秘と呼ぶに値する。だが、台頭するテクノロジーがそれじたい知の貯蔵庫であるかのように独立するとき、事態は自律共生性（コンヴィヴィアリティ）を欠いた反生産的なものとなりはじめる。[4]世界は「客観的」なデータによって代理され、媒介されたものとなり、わたしたちがそこで自らのもののやりかたを発揮し、世界と関わり合う余地はない。その帰結が、「権力はいまやこの世界のインフラのうちに存在する」（不可視委員会二〇一六、八三）事態であり、じつのところなにも生み出されてなどいないという「ブルシット化」（グレーバー二〇二〇）であるだろう。

ところで、おなじ『コンヴィヴィアリティのための道具』でイリイチは、興味深い言語論を展開している。「西洋の言語には意識の物質化が映し出されている。〔…〕動詞から名詞への機能的転換は、それに対する社会的想像力の貧困化をはっきりと浮かび上がらせる。名詞優先的な言語を話す人々は、習慣的に彼らがもっている仕事に対する所有関係を表現する」（イリイチ二〇一五、一九七、強調原文）。産業化とともに進行してきたのは、たとえば「わたしは学びたい」が「わたしの教育」に、「わたしは歩きたい」が「わたしの移動」に、「わたしは健やかに過ごしたい」が「わたしの健康」になるといったぐあいの、動詞の名詞化だった。それはわたしたちの感性を、商品化へと連続する私有の観念によって汚染する。じっさい、教育、移動、健康はいずれもいまや売買される、資本主義市場のトップセラーである。あるいは資本主義的スピリチュアリティも、そこに付け加えられるかもしれない。

重要なこととして、こうした言語の問題と、先述したテクノロジーの問題は、けっして別のことではない。かつてマルティン・ハイデガーが痛烈に批判したのは、ほかならぬ「技術としての言語」だった。「現代技術の無制約的支配とともに高まってくるのは、情報の最大限可能なかぎりの広がりに適応した技術的言語の力であり——その要求であり、機能である」（ハイデガー二〇一三、一九七）。シンプルな計算機から最新鋭のサイバネティクスにいたるまでの機械が要求し可能にする技術的言語は、抽象化された記号を確実迅速に伝達するという、純粋な情報の発信へと近づいていく。このとき、代わってわたしたちから遠ざけられていくのは、「現前するものと不現前するものとを、つまりもっとも広い意味での現実性を示し、現出させることとしての言うこと」（前掲、一九八）という言語の本来性である。見えないもの、語りえないものは字義通り「ない」に等しく、計算できるものだけが存在できるものとなる。技術はこのように言語を改変し、次いでその言語が計算と制御にもとづいて、自然のなかに伏蔵するエネルギーを汲み出すことへと、人間を挑発し用立てるのである。不可視委員会（二〇一六、一二六）がいうところの、「テクノ＝ロギア」による「テクノロジーの時代」が到来する。それは悪夢そのものである。

さて、その悪夢を、「闇の自己啓発」は——「僕も自分の脆弱な身体が嫌いなので、戦車に脳ミソ乗っけたいな」（江永ほか二〇二一、四六）などと口走りながら——あえて受け入れるそぶりをみせる。だが、このときじっさいになにが行為遂行されているのか。ジャック・ランシエールはいう。

ポリスとは、まず第一に身体の秩序であり、それはある身体にその名前に応じて何らかの地位や役割を割り当てるような、行為の仕方、存在の仕方、話し方のあいだの分割＝共有の数々を定義する。すなわちそれは見えるものと語りうるものの秩序であり、この秩序はしかじかの活動を見えるものにし、しかじかの活動を音としてしか聞こえないようにする。（ランシエール二〇〇五、六〇）

「外国人」との「言葉」による交通を遮断し、その存在を「騒音」のアルゴリズム的数値化によって遇すること。これはまさにランシエールが看破した「身体の秩序」に属する。身体を嫌悪し捨て去ると「言う」その行為遂行性において、身体の秩序が打ち立てられる。ここにはあきらかな自家撞着があるが、それも当然の帰結だろう。身体はつねに蠕動し、ざわめいている以上、[5]「音」を排することは身体を排することにならざるをえない。だが、近年のロジスティクス論が暴き出すように、いかに身体なきサイバネティクスの統治を追求しようとも、その下部構造を支える肉体、血の汗を垂らす労働への要求は苛烈さを増すばかりなのだ。身体なき秩序の夢はどこまでいっても身体の秩序にすぎず、そこでじっさいに遂行されるのは、身体そのものを物言わぬ自然資源とみなす採取主義からの攻撃である。これが「自他の融解する特異点」なのだとしたら、それはわたしたちが何度も目にしてきたもの以外ではありえないだろう。[6]

「身体‐領土」（ガーゴ二〇二二）を描かねばならない。抽象化や採取と戦う、実存的領土としての身体を、である。こうした身体は、身体や風景を私的に所有可能な（不）動産とみなす先験的主体——男性的とも、植民地主義的とも、もちろん国家的ともいえる——に異議を突きつける。むしろそれは、風景が喚起する情動の特異性が損なわれないままに輻輳する、一であり多であるような身体である。[7] あるいはこういってもいい。霊性（スピリチュアリティ）の語を遠く遡ればギリシャ語の息（プネウマ）が全体論的（ホーリスティック）な生命を表現するものであったように、わたしたちは唯物論的であり霊的であるような身体をげんにともに生きている。身体とは、複数の世界を構成する複数の力の交わりの場である。[8] この身体に、注意力をかたむけねばならない。

> わたしは自分が見る、聴く、吸う、触れる、食べることでかかる事物のすべてから、また自分が出会う人びとのすべてから、神との接触を奪っている。さらにまた、わたしのなかでなにかが〈われ〉を主張するかぎり、これらすべてとの接触を神から奪っている。これらすべてのために、また神のためにも、わたしにできることがある。すなわち、みずから退いて、これらすべてと神との差向いの対面を尊重することだ。
> （ヴェイユ二〇一七、七九－八〇）

シモーヌ・ヴェイユがいうように、霊性はわたしたちに、退くこと、場所を空けておくことを求める。霊性を主体的に活用するといったことではなく、主体を霊性に明け渡すこと。そうしてはじめて奪還されるものがあるという逆説が、ヴェイユにとっての恩寵である。得ようとするものが失い、失うものが得るのである。

　このヴェイユを引きつつサリー・マクフェイグ（二〇二〇）が語るところでは、ケノーシスとは世界創造の模倣であるという。従来的な神学は、世界創造の原因である神を超越的な精神ととらえてきたが、そこからは、家父長的に介入し、所有し、操作しうる世界という観念が容易に帰結されるだろう。だがじっさいのところ、神は受肉して世にくだり、自らの身体を食物として供した。肉に宿った神が釘打たれたように、わたしたちは肉のなかにすでに穿たれてある洞を想起せねばならない。創造の模倣は、脱創造として遂行される。肉に内在し潜行することで、肉を超えることができる。

　ゆえに無化とは、神化にもひとしい。それは他のものたちを跪拝させる王座につくことではない。そうした擬人化された観念は手放すべきだ。あらゆる被造物をその存在の一義性において交わらせる「内在する超越性」（マクフェイグ二〇二〇、三三三）が、わたしたちは、自己であり海であることを想い起こさせる。それはとてもおそろしい。すべてを生み出した海は、たやすくすべてを飲み込みうる。多であることと一であることは、ときに互いを侵襲してしまう。この危険をまえにしてテクノロジーがはじきだす正答のひとつは、巨大な装置——「一つの言葉」によって築かれるバベルの塔から、シーステディングの浮遊都市まで[9]――を打ち立てて、海とみずからをどこかではっきりと分かつことだろう。自己‐装置‐海という遠近法的な配置が設定された世界では、大航海時代から現在の領海にまで引き継がれているように、海を私有し統治することも可能になる。いくら海から採取しようとも、自己が痛みをおぼえることもない。いかにも平穏なことである。

それでもわたしたちは、一でありながら多であること、海であることを想起して生を紡ぐ。想起（アナムネーシス）とはそれじたい、霊的に触れることだ[10]。一から多へ、多から一へ、搾取や採取を介さずに触れ合う共棲のしかたを取り戻そうとすることだ。「個人的なものを霊的なものと」するまなざしをとおして知と共同性を育み、苦難の終わりの日を手繰り寄せる「癒しの労働」（杉浦二〇〇九、二〇九）をあきらめないということだ[10]。シモーヌ・ヴェイユ（ヴェーユ一九六八、一七〇）は、人を機械へと従属させ思考を摩耗させる過酷な工場労働の現場で、それにもかかわらずふと示されるやさしさに、自らが置かれた諸条件を超えていくなにものかをみてとった。つかのまの、肉をもった、傷つきやすいものたちの労働、それこそが、「抽象の世界」から離脱したところにあるわたしたちの「現実」なのだ。

これから記すのは、そうした労働の記録である。闘争という語が似つかわしくない、卑小な証言である。だが、霊的であるとは、このようなことではないだろうか。寄せては返す波動が、わたしの鼓動であり、あなたの鼓動であると信じることではないだろうか。

診断

わたしのことをだれもわたしだと見分けることはできない。あなたのことをあなたとわたしが見分けられないように。だからわたしにとっては、あなたは、最寄りのコンビニでレジ打ちしてくれる人だ。マスクを顎までおろして菓子パンを口に詰め込みながら急いだ様子で駅へ向かうスーツの人だ。これまで一緒に仕事をしたことのあるひとの顔のひとつひとつだ。それがわたしで、あなただ。

わたしが受け取っている診断書には、このように書いてある。

◆病状、状態像などの具体的程度、症状、検査所見など
＊おおむね過去2年間の状態について詳しく記載してください
職場内において不注意や物忘れが顕著であり、就労に支障を来し、仕事が継続できず退職に至る。また、対人コミュニケーションも苦手さを認める。ストレス増大に伴い抑うつ気分、意欲低下を呈することがみられる。言語性ＩＱ121、動作性ＩＱ92と乖離が顕著
◆生活能力の状態（保護的環境でなく、例えばアパート等で単身生活を行った場合を想定して判定してください）
適切な食事摂取／身辺の清潔保持及び規則正しい生活／金銭管理と買い物／通院と服薬／身辺の安全保持及び危機対応／社会的手続き及び公共施設の利用／趣味娯楽への関心及び文化的社会的活動への参加…おおむねできるが援助が必要
他人との意思伝達及び対人関係…援助があればできる▼12
◆具体的程度、状態像
＊就労状況について…その他（無職）
日常生活に支障を来し、就職しても不適応から退職している

証言1

わたしはみんなが幸せになるようにしたい。

仕事はいつも接客業をしている。接客の仕事は好きだ。わたしのいるレジの前に「お客様」が立つ。わたしが「いらっしゃいませ」とほほ笑むと、「お客様」はちょっといい気持ちになる。ならない人もいる。べつにどうでもいい。わたしは「店員」という役柄のなかで、目の前のひとの幸せを、その瞬間心から願っている。もう一生二度と言葉を交わすこともないかもしれないその人と触れ合っている、微かな時間の居心地の良さを願っている。必要なものがあればできる限り探したり、代替案を出したりして、とにかくできることを尽くしたい。

物を売るのも好きだ。その物がもつよいところを必要な人に届けられるのはうれしいし、懐に入らないとしても売り上げの数字が重なっていくのを見るのが好きだ。

だけど、どうにも職場の人と上手くいかないことが多い。わたしは「お客様」と接するときと同じように、職場の人も、

周りの人も、できるだけみんな幸せになるようにしたいと思っているのに、イヤな思いをさせてしまうことが多い。そのうえそうして食い扶持も失ってしまう。どちらもものすごくしんどい。

証言2

わたしは人と関係したい。

関係したいのは、関係できていないからなのだろう。わたしは人と関係したいのに、いつもうまくいかない。イヤな思いをさせてばかりいる。することもある。それであらゆる場所からはじき出された。何度も、いろいろな場所で、いつも居心地が悪くて、そこに居られなくなった。

仏壇の営業販売員をしていたときは過酷だった。機嫌が悪くなると周囲に当たり散らす人がいた。店舗のスタッフはその人と店長以外、一年で全員入れ替わってしまう。わたしの倍以上の年齢で、ちょうど母親と同じくらいの年だった。

その人は朝五時に起き、家事や食事の準備を夕飯の分まで済ませて出勤してきているのだという。休みの日にも孫の世話をして、すごく気が利く優秀な奥さん・嫁さん・お母さん・おばあちゃんかつセールスレディでいることに必死だった。フルタイム勤務に加えてそんな風に立ち回ることはとても過酷で、気が立つのも当然だ。わたしだってたいへんなのに頑張っているのだから、みんなそうするべきだ、といつも怒っていた。これまでの居場所、家や社会で生き延びるためにたくさんの努力とイヤな思いをして、そうしなければ生きることを許されなかった人だから、そうしていないように見える人間には嫌悪感を覚え、年長者の自分が蔑ろにされていると傷つく。機嫌は良かったり悪かったりと揺れ動いて、そのたび態度が変わるので、息をつめて顔色を伺いながらロッカー室に入る癖がついた。そこは冗談のようだけど地獄のような仏壇屋[13]だった。

ある日狭い給湯室で、「あのーすみません、うしろのゴム手袋、取ってもらえますか？」と、なにかしているその人にできる限りていねいに頼んだ。その人はもうしばらくその場で作業しそうだったので、わたしのために移動しなくていいように気を遣って。

「あなた、失礼よ！」と、鼻息も荒くその人は憤慨した顔でいった。わたしは、なにがどうして彼女を傷つけたのか、ただただほんとうにわからなかった。なるほどこれが医者にいわれている「状況を目で見て理解し対応することができない」ということらしい。

「そうね、義母という他人なんかと暮らすとわかるわよ。「ゴム手袋を取って」と頼まれたことを、たぶんあの人は「年下のお嫁さんのような人に使われている、失礼だ」と感じたのよ」。やはりわたしよりも倍近い年齢の別の人は、話を聞いてそう解説してくれた。その別の人もしばらくして退職した。

わたしは訊いてみたかった、「あなたはどんな思いをしてがんばってこられたんですか?」と。わたしは話したかった。彼女の人生のことを訊きたかった。いつも怒鳴りつけられてばかりで、とてもそんなことはできなかった。

事情があって、とっとと仕事を辞めるわけにはいかなかった。少なくともそう考えていた。このままこの人のようになれば、どうにかここでは生き延びられるのかもしれない。激しく叱責されているあいだはできるだけ乾いた眼球の表面を眺めながら、このひとは大きな瞳をしている、と考えるようにしていた。

いつもそんなふうに妄想を展開しながらぼんやりしているので、わたしはさらに目の敵にされた。一度などは蹴りも入った。わたしはボロボロになった。体重は一年足らずで一〇キロ減った。二日間身体が動かなくなり次に出勤した日、おおまかにいえば「職場の空気が悪くなる」という理由で、その月の終わりに自主退職するよう上司に告げられた。

その人のことや、その場所にまだ居る人たちのことをいまも考える。

フリルだらけのレースの浄土

外に出られないようになってからはしばらく、インターネットを通じて古い服を買っては、着られるように直したりしている。とくに、古い手作りの非日常的に過剰なレースの洋服が好きだ。これはけっこう楽しい。時代遅れの肩パッドの入った、ボタンのひとつ欠けた服、クリーニングされてタンスの中にかけられたまま何十年も置かれて古くなって、シミの浮いてきた服、手ブレした暗い画像でぼやっと写っている安価な服を、勘で買う。染みついた防虫剤のにおいを落とすために数十年ぶりの日光と風にさらして、思い切って洗ってシミ抜きをして、肩パッドを取り外して、とれたボタンを補って、虫食い穴を繕って、ウエストのゴムを入れ替えて、色を染め変えて、わざとぐっと細く作ってある昔の若い人向けの洋服を、だれでも着られるようなウエストサイズやデザインに直す。誰に求められるでもなく〆切があるでもなく、ひと針ずつ直すのはけっこう楽しい。わたしには技術もミシンもなくて、愛と思い切り、気合と時間と手元の道具だけで直す。

直した洋服は、どれも見違えるようにあんまりにもかわいくて、ほれぼれする。

それから想像する、これをどんな人が探して、見つけて、欲しいと思うか。そういう誰かが検索で見つけられる言葉で、説明を書く。疲れはてて帰ってきて、なにもできず横たわった布団のなかでなんとなく眺めているうちに、ふと見つけられるように。なにもできなかった休日の夜に、食器洗いを繰り返して乾いてささくれた指の先でなんとなく検索しているときに「ああ、これかわいいな、ちょっといいじゃん」と思って、一瞬だけでいいから、こころをどこか別のところにやってくれたらうれしい。

いる場所が違えば、出会い方が違えば、人もモノも扱われ方が変わる。実際そうするのはむずかしい。服はほんのすこし角度を変えれば簡単に居場所を変えられる。わたしの代わりに居場所を変えて息を吹き返す。古いレースがわたしの作る仏壇で、どこかの誰かのための浄土だ。

顔を上げて街を歩く

生まれてしまって、意図的に死ぬのはこわいし面倒だしむずかしい。さしあたり今日息をしているあいだ、食事と居場所を得たいし、着ていて不快でない下着をつけたい。それが生活だ。生きる・死ぬという問題ではなくても、うつむかず、顔を上げて街を歩きたい人がたくさんいる、当然だ。そうしていろいろなシステムや慣例に絡まってしまう。なにをしても人を苦しめているような気がしたりする。そういうことに疑問があるのに、それに乗っかっていることを思ってしんどい。古いレースの洋服だって、かつてどれだけの人が身と心をすり潰して作って売られた布なのか、糸なのか、フリルのひとつひとつなのか。右を見ても左を見てもしんどいからじっと靴を見たりするが、視線をちょっと手元にやって、どこかの誰かのそういうときのために古いレースの服を直す。

いわないだけで、誰だっていろいろある。いやなやつにも、普通そうにしてる人にも。黙って歩いていれば、「日常生活に支障を来している」ことなどわからないわたしのように。

　しなくてもいいような思いを何度もして、相手にもイヤな思いをさせてでも、わたしはやっぱり人と関係したい。「どうして?」「なにがあったんですか?」と尋ねたい。教えてほしい。わたしのことを話したい。

　人の心をすり潰すような仕事はいやだ。だけどほんとうのことは、わたしたちの出会うそのときにすこしだけあると思っている。だからせめて、マスクをしてレジ打ちをする人に、ぞんざいな扱いをしたくない。わたしはあなたにとって、たぶんそこでレジを打っている人で、わたしにとって、そこでレジを打っている人があなただから。

　わたしはあなたと話したい。わたしは正しくない。だからあなたと話したい。教えてほしい。聞かせてほしい。わたしは正しくないけれど、いまたしかにあなたに繋がった。

▼註

▼1 したがってこの小論は、世俗と宗教の言説上の対立を再演しようとするものではない。白石嘉治が「刻々と変化する波はほんとうに表象できるのか?　あるいはパンはキリストのたんなる表象にすぎないのか?」(白石二〇二〇、一八五)と問うているように、海についてよく考えてみれば神にたどり着くであろうし、逆もおなじである。にもかかわらず神がことさらに忌避されるのは、むしろ神が人であるかのように、すなわちなにかしらの支配者として観念されているからではないか。もっともこの点については、もっぱら伝統的神学に責任があるだろう。

▼2 もっとも、わたしたちは技術一般を嫌悪するものではない。技術とはもののやりかた、すなわち制作にして詩学であり、世界と関係する術である。不可視委員会(二〇一六、一二六)がいうように、技術は倫理的な性質を備えている。だが、以下に述べていくように、テクノロジーはそうしたものではありえないのだ。

▼3 同じ箇所で「本やコンピュータは世界の一部なのだ」(イリイチ二〇一五、一九一)と述べられるとおり、本、あるいはコンピューターであっても、世界の一部としての道具である限りでは否定すべきものではない。

▼4 わたしたちはTwitterで、読んでもいない記事を「いいね」や「RT」し、読んだつもりにだけなって放置したことはないだろうか。意識的・無意識的を問わず、みずからの目配せのよさをタイムライン上で再帰的に確認しアピールしてしまうTwitter に顕著なみぶりがそこには指摘できるだろう。このときわたしたちはけっして、知の神秘に立ち会ってなどいないのだ。

▼5 疑うならば、じぶんの胸なり腹なりに手をあててみればよい。「生活音」という語の意味を考えてみるのもいいだろう。そのうえでもうすこし考えてみるには、アルフォンソ・リンギス『何も共有していない者たちの共同体』（野谷啓二訳、洛北出版、二〇〇六）がたいへん示唆的である。

▼6 ジェフリー・ハーフ（一九九一）は非合理主義的な思想傾向をもちながらテクノロジーに熱狂した第三帝国の保守主義者たちに「反動的モダニズム」を見る。「自然」をテクノロジーによって制覇して理想的な共同体を建設する、その試みの先にまつのは絶滅にいたるまでの採取の激化だということは、すでに歴史上証明済みだといえよう。こと現在のロジスティクスについてこの点を予示的に論じたものとしては、友常勉「ファシズム5・0」（二〇二〇）も必読。

▼7 田崎英明「息をする、立ち上がる」、『福音と世界』第七六巻二号、新教出版社、二〇二一、二四-二九。

▼8 草柳千早は、社会や自然といった複数の系へと開かれたものとしての身体の存在論を、ゲオルグ・ジンメルが本論のエピグラフで論じている「魂」に着想を得て描き出す。「私たちの身体は、私自身を超える力によって私をこの社会の中で生かし、他者と交流し困難に対抗する力を私に与え、やがて私を自然のなかへふたたび連れていくだろう」（草柳二〇一三、六二）。ひるがえってこれは、霊性のことでもあるはずだ。

▼9 バベルの塔の物語の含意については、有住航（二〇二〇）を参照。それによれば、人間の傲慢の象徴とそれにたいする戒めとして理解されてきたバベルの塔の物語は、じつのところ植民地やテクノロジーの支配からの奴隷解放譚として読まれうるものである。また、ニック・ランドとも共鳴するリバタリアンの事業家ピーター・ティールが提唱する海上フロンティア建設プロジェクト「シーステディング」の植民地主義的発想については、林みどり（二〇二〇）が痛烈に批判している。

▼10 これについては金迅野（二〇二一）から学んだ。

▼11 杉浦がこのように述べる背景には、黒人女性たちがしばしば発揮してきた「黒いスピリチュアリティ」の系譜がある。「セルフ・ケアや癒し、身体的・霊的な次元に注意を払うこと、そのすべてはラディカルな社会正義闘争の一部」というアンジェラ・デイヴィス（二〇一六）の言は、その一例である。あるいはここで、ベロニカ・ガーゴのいう身体-領土が、フェミニサイドをともなう採取主義との闘争を目した Ni Una Menos の「緑の波」をまずもって指していることを思い出したい。その「波」は、魔女狩りさながらに女性の身体を囲い込む場としての家を解体し、不服従や相互への信頼にもとづく政治的親密圏としての家を、青空のもとに築き上げた。国家に与するキリスト教会とも対峙するこの波にもまた、ヴァナキュラーな政治的霊性が流れているように思えてならない。

▼12 つまり「援助がないとできない」と宣告されている。

▼13 浄土真宗では、絢爛豪華な装飾の施された仏壇は身近に浄土を

表現する場所だとされる。

参考文献

有住航「混乱（バラル）の民として生きる——オリンピック・万博に反対する〈解放の神学〉」、新教出版社編集部編『現代のバベルの塔——反オリンピック・反万博』新教出版社、二〇二〇、一九-三二

イリイチ、イヴァン『コンヴィヴィアリティのための道具』渡辺京二・渡辺梨佐訳、筑摩書房、二〇一五

ヴェーユ、シモーヌ「ある女生徒への手紙」『シモーヌ・ヴェーユ著作集1　戦争と革命の省察』橋本一明ほか訳、春秋社、一九六八、一七〇

ヴェイユ、シモーヌ『重力と恩寵』冨原眞弓訳、岩波書店、二〇一七

——『神を待ちのぞむ』今村純子訳、河出書房新社、二〇二〇

江永泉・木澤佐登志・ひでシス・役所暁『闇の自己啓発』早川書房、二〇二一

ガーゴ、ベロニカ「身体-領土——戦場としての身体」石田智恵訳、『思想』第一一六二号、岩波書店、二〇二一、三二-五九

金迅野「いまを生きるみことば　第12回　見えないものに触れる」『福音と世界』第七六巻第三号、新教出版社、二〇二一、二一-三

Carrette, Jeremy & King, Richard, *Selling Spirituality: The Silent Takeover of Religion*, Routledge, 2004

草柳千早「身体・社会・太陽」、山岸健・浜日出夫・草柳千早編『希望の社会学——我々は何者か、我々はどこへ行くのか』三和書籍、二〇一三、四七-六三

グレーバー、デヴィッド『ブルシット・ジョブ——クソどうでもいい仕事の理論』酒井隆史監訳、森田和樹・芳賀達彦訳、岩波書店、二〇二〇

白石嘉治「これは私のからだではない——モノとのあたらしい関係について」、新教出版社編集部編『現代のバベルの塔——反オリンピック・反万博』新教出版社、二〇二〇、一八三-一九四

杉浦勉『霊と女たち』インスクリプト、二〇〇九

友常勉「ファシズム5・0」、『HAPAX』第一二号、夜光社、二〇二〇、一二〇-一三〇

Davis, Angela & Davis, Fania, "The Radical Work of Healing: Fania and Angela Davis on a New Kind of Civil Rights Activism," 2016（https://www.yesmagazine.org/issue/life-after-oil/2016/02/19/the-radical-work-of-healing-fania-and-angela-davis-on-a-new-kind-of-civil-rights-activism/［二〇二一年二月一七日閲覧］）

ハイデガー、マルティン『技術への問い』関口浩訳、平凡社ライブラリー、二〇一三

ハーフ、ジェフリー『保守革命とモダニズム——ワイマール・第三帝国のテクノロジー・文化・政治』中村幹雄・谷口健治・姫岡とし子訳、岩波書店、一九九一

林みどり「再魔術化する時代——先端テクノロジーと現代ポピュリズムの交差点」、『2019年度フェリス女学院大学学内共同研究——ポピュリズムとアート』フェリス女学院大学、二〇二〇、三七-五〇

不可視委員会『われわれの友へ』HAPAX訳、夜光社、二〇一六

マクフェイグ、サリー『ケノーシス――大量消費時代と気候変動危機における祝福された生き方』山下章子訳、新教出版社、二〇二〇

ライアン、デイヴィッド『ジーザス・イン・ディズニーランド』大畑凜・小泉空・芳賀達彦・渡邊翔平訳、新教出版社、二〇二一

ランシエール、ジャック『不和あるいは了解なき了解――政治の哲学は可能か』松葉祥一・大森秀臣・藤江成夫訳、インスクリプト、二〇〇五

リンギス、アルフォンソ『何も共有していない者たちの共同体』野谷啓二訳、洛北出版、二〇〇六

ローズ、ニコラス『魂を統治する――私的な自己の形成』堀内進之介・神代健彦監訳、以文社、二〇一六

気象的コミュニズムのために——谷川雁、石牟礼道子、中平卓馬をめぐって

鼠研究会

On Climatic Communism:
Around TANIGAWA Gan,
ISHIMURE Michiko
and NAKAHIRA Takuma

Rats Studies

I 谷川雁、そして石牟礼道子をめぐって

1 谷川雁の「原点」は多くの誤解にさらされてきた。最近の例として森元斎の『国道3号線——抵抗の民衆史』（共和国、二〇二〇）がある。同書は小野十三郎をひいて雁の「原点」を「農村世界」であると書きつけるのだが、雁の「原点」とはそのようなものなのか。「下部へ、下部へ、根へ、花咲かぬ処へ、暗黒のみちる所へ、そこに万有の母がある」。この「原点は存在する」の一節に森はマルクスの初期疎外論の影響をみてとるのだが、雁は「人間の完全な再獲得」（「ヘーゲル法哲学批判序説」、森の引用による）など構想していない。そこで「私の見たもの」としてあげられる「異端の民」は下層民の絶望的な「剥き出しの生」なのだから。「原点が存在する」と同時期の「幻影の革命政府について」ではこう書かれる。「いわば革命の陰極とでもいうべき、デカルト的価値体系の倒錯された頂点〔…〕この世のマイナスの極限値。〔…〕潜在するエネルギーの井戸、思想の乳房、これを私は原点と名づけた」。その原点とは「アジアの虚無」でもあるのだが、これは「日本の無を否定する」（「無を嚙みくだく融合へ」）ものとされる。新木安利によれば「万有の母」は雁が高校時代に愛読した『老子 王弼注』によるものであり（『サークル村の磁場』海鳥社、二〇一一）、「無」もまた老子的なものであるといえるが、雁の「無」はそこに留まるものではない。
「原点」を「村」に実体化したのは森が依拠した小野だけで

はない。「農村と詩」では農村の「前コミュニズム」がデヴィッド・グレーバー的「基盤的アナキズム」として論じられており、そうした理解は雁自身にも淵源するのだ。それゆえ田川建三さえ「谷川雁の文章に魅力があるのは、労働者、農民の生活から多く直接の素材をとってかたりだしているところにある。彼の「原点」はそこにある」(「知識人論への一視角」『立ちつくす思想』勁草書房、一九七二)と書くことになった。そこから田川は雁の原点を「アルケー」的なものとして批判することになる。長崎浩はさすがに「この「原点」の場所は、存在としての「東洋の村」や「農民」ではなかったし、レトリックとしての「故郷」でもなかった」と書いて、それらとは一線を画すかにみえるのだが結局のところ、「党」という観念に遙かに拮抗すべき「原点」や「故郷」は、谷川にとって同時に「革命」と呼ぶべきものだった」(「谷川雁・帰郷への呼びかけ」『超国家主義の政治倫理』田畑書店、一九七七)として、多くの論者たちと同じく雁に「帰郷への呼びかけ」をよみとるにとどまったのである。

「原点」とは彼らが見ていた起原(アルケー)であると同時にアルケーを打ち砕き続ける反起原(アナルケー)である。アルケーにしてアナルケーであること、これはこの「原点」そのものの二重性のあらわれである。雁の「日本の二重構造」は酒井隆史が論じるように(「いま、谷川雁を読むということ」『道の手帖 谷川雁』河出書房新社、二〇〇九)日本資本主義分析としていまだに重要なものだが、それを可能にしたのはあらゆる場面で二重構造を見出すこという雁の方法だったのであり、「原点」とは分裂的な極なのである。「前衛と大衆」、「正の前衛と負の前衛」、「都市と地方」など雁をつらぬくのはこの双極性である。知識人にして大衆という「工作者」はまさに「原点」を現働化した姿に他ならない。長原豊がそのすぐれた谷川雁論(「こうして世界は複数になる」『敗北と憶想——戦後日本と〈瑕疵存在の史的唯物論〉』航思社、二〇一九)において内部観測論を導入しつつ「原点とは工作(記述)という〈力〉を工作=記述者に与える独異な点あるいは鞍点にこそ存在する——さきに言及した二重権力形成の権-力行為とは、こうした〈力〉の形成である」と書くとき、われわれと同じ事態を見ているように思われる。

したがってドゥルーズの以下の一節ほどに雁の「原点」にふさわしいものはない。「強度は、最低のものを肯定の対象としているのである。〔…〕そこまで行くには、〔…〕《滝》

［転落］の力（ピュイサンス）、あるいは深みへの墜落［堕落］の力（ピュイサンス）が必要である。［…］すべては高みから低みへ向かって進み、そしてこの運動によって、すべては最低のものを肯定する」（『差異と反復 下』財津理訳、河出文庫、二〇〇七）。長原も論じているように「下降」は「二重性」をより強力なものとする。分裂する「原点」とは落下である。この落下はそのまま下層へと転写されうる。これこそドゥルーズ＝ガタリの政治の秘められた核心である。このとき、差異の政治は下層・辺境革命論的な実践となり、それゆえそこから生まれた闘争は戦後日本にあってつねに「外部」的な相貌を帯びることになった。これは保守から社共、そして市民運動までふくめた戦後政治の総体、もしくは戦後社会の総体に対しての外部であっただけではなく、マイノリティへの生成であることにおいて外部的であった。

2　この外部性において石牟礼道子、渡辺京二らが担った「水俣病を告発する会」は他のどの運動よりも谷川雁的な闘いにみえた。石牟礼が「サークル村」で雁の影響下にあったという出自だけではなく、「市民」ならざる「死民」を標榜して近代そのものを呪詛するその思想において。だがそうではなかった。雁は一九九〇年の「〈非水銀性〉水俣病・一号患者の死」（『極楽ですか』集英社、一九九二）において石牟礼とその水俣闘争へ苛烈な批判をよせる。

その批判の主眼は水俣病発見者としての赤崎覚を石牟礼たちが隠蔽したことへの指弾だが、それ自体は雁の錯誤でしかない。重要なのは、その際、雁が赤崎も属する「プロレタリアートの原形質」をのぞかせる層を〈第一の水俣〉と呼んで、「身体性に富んだ思想的発言で都市住民をおどろかした」水俣病患者が属する〈第二の水俣〉と区別して、両者の間の深淵をあきらかにしたことだ。ここにも雁の方法としての両極性を見出すことができる。両者の憎悪を構造化できていない知識人たちに雁はいう。「意識の全底面を総合しようとしない正義とはいったい何物でしょうか」。そして石牟礼にこう問うのだ。「〈水銀以前〉の水俣をあなたは聖化しました。［…］しかし患者を自然民と単純化し、負性のない精神を自動的にうみだす暮しが破壊されたとする、あなたの告発の論理には〈暗点〉がありはしませんか。小世界であればあるほど、そこに渦まく負性を消してしまえば錯誤が生じます。なぜなら負性の相剋こそ、水俣病をめぐって沸騰したローカルな批評精神の唯一の光源ですから」」。「あなたの〈水俣〉には底辺の葛藤がありません。結局のところ病に狂乱のただなかへ古い神話性をよびもどすことで終わった」。これに対する石牟礼の反論は赤崎についての誤解を解くことに主眼をおき、この問いには答えていないが、それは答えるのが困難だったからではなく、その必要を感じなかったからだ。臼井隆一郎はその比類なき石牟礼論（『苦海浄土』論——同態復讐法の彼方』藤原書店、二〇〇六）において石牟礼にとっての水俣病闘争を「人類史の発端ないし終局に位置する人類という部族の存亡をかけた母権闘争」と定義した。その基調をなすのは「同態復讐法」、すなわち「目には目を」という大地の深部にねざした血の論理である。「近代法の中に刑法があるかぎり、死につつある患者たちの呪殺のイメージは、刑法学の心情を貫いて、バビロニアあたりの同態復讐法へ先祖返りするのもいなめない。／自然死ではない死を遂げる場合、下層民たちの大部分の死はなぶり殺しであって、「法の下の平等」どころか、法の見捨てるところにおいて平等であるという歴史的実感をえて、これをひきづりながら、第一次水俣病患者たちは訴訟に踏みきったのである」（石牟礼道子「復讐法の倫理」『流民の都』朝日新聞社、一九七三）。これを狂者として闘う石牟礼の闘争にあって「第一の水俣」は「第二の水俣」たる苦海に溶解させられるようなものでしかなかったはずだ。

雁の石牟礼批判は上記のテクストだけではない。同じ『極楽ですか』に収録された『聞書水俣民衆史』（草風館、一九八九－一九九〇）の編者・岡村達朗あての書簡（「〈白い眼〉のエロスの隣り」）では石牟礼の〈原水俣・楽園説〉に立ち入ることを警告している。「この病は〈近代〉があの〈中世〉を痛めつけた結果ではない。明治の〈古代〉からえんえんと捨てられてきた代謝物の結果であり、魚の腹にはいるまえからすでに心理的に有機化していたのだ」。すべてに権力の発生とその終末を見る雁にとって自然こそ権力の起源である。だが石牟礼の〈原水俣・楽園〉とは「苦海」の逆倒ではないのか。[▼1] ゆき女が「うちゃやっぱり、ほかのもんに生まれ替わらず、人間に生まれ替わってきたがよか」と語るときに到来させられる「浄土」ではないのか。

3　一九六四年、雁は「わが組織空間」（『無（プラズマ）の造型——60年代論草補遺』潮出版社、一九八四）というテクストを発表する。ここで雁は主要にはレーニンの権力論と対決しながら、この世界における「単一世界権力の到来」を仮設する。そこまでの「すべての抵抗体は私有制の時期おくれの戯画となるか、それとも私有制の進行の先駆となるか、どちらからに帰着する運命を持っている」。雁は底辺‐下層、もしくは辺境革命論の始祖と見なされてきたが、この最終的な政治論はそれらを裏切るものであるとみえる。平岡正明はこのテクストに「谷川雁の不愉快な転向」（『地獄系24』芳賀書店、一九七〇）をとらえ、平岡を批判する松本輝夫もこの「革命の不可能性」の「再認識」に雁から「「無政府的な魂」や「前プロレタリアート的感情」が消滅していくプロセス」を見出す（松本輝夫『谷川雁　永久工作者の言霊』平凡社新書、二〇一四）。だがそうなのか。雁によれば世界が「アメリカ、ソ連、中共、アジア・アフリカ民族主義国家が占め、人民はその閉じられた図形、一個の密室に内封されているものとみなすことができる。「多極化」とはこの辺が増えていくことでしかなく〔…〕すべてのイデオロギーは世界市場の単一化にしたがって「癒着」した」。国家と自己組織化は重ね合わされる。したがって「国家の廃絶か死滅かという観点よりも、いかにして世界市場の単位から自己を遮断するかという風に」問題はたてられる。

ここだけをとりだせば見事なまでにネグリ＝ハートの〈帝国〉を想起させる理論だが、雁にすればマルチチュードもまた世界統一権力を「加速」させるものでしかなかったはずだ。これに対して平岡は書く。「植民地、後進国の叛乱・蜂起は、比喩的にも多角形の辺を一つ増やすだけではない。〔…〕どのようにおくれて革命に突出した国家でも、また小さな国でも、このとき一挙に世界史の尖端にとびだす。このときに一国的矛盾は現代世界の矛盾に転位するのであるから、革命は永久的課題たらざるをえない。国家の死滅はまさにこの総過程のなかで眺望されるだろう」（前掲「谷川雁の不愉快な転向」）。現時点でみれば第三世界革命を支持する平岡にたいして、それさえ飲み込む資本主義の勝利を強調したかに見える雁の優位はあきらかかもしれない。しかし両者は共にそこで争っているのではない。国家単位での第三世界革命はついえたとしても資本主義が植民地主義を基底としているかぎりそれへの反攻はあらゆる場面でとどまることはない。どのようなささやかに見える反攻でもそこには「矛盾の坩堝」があらわれ、その裂開から「国家の死滅」が眺望されうる。そうとるなら平岡の理論はいまも揺るぎようがない。そしてこの認識もまた雁に由来しているのだ。第三世界革命の受容にあたって「谷川雁の、日本の下層社会を測るおもりを借り、日本のなかの第三世界を読みとるための翻訳装置として彼の思想は役だった」と平岡は書いた（前掲「谷川雁の不愉快な転向」）[2]。しかし雁にとっては「一つの国家革命が勝利するたびに、統一世界権力が迫ってくる」。ネグリ＝ハートの〈帝国〉は世界の内部化の論理であったが、「わが組織空間」は外部の不在を強く強調することによって実は外部化の論理なのである。雁のこの論は革命の彼岸化でもディストピア論でもない。この論は「深淵もまた成長しなければならない」という最初期のテーゼの必然的な帰結であり、同時にあの「原点」の表現でもあったのだ。「「原点」への下降」とは「いわば革命の陰極」「この世のマイナスの極限値」であるからだ。

雁はこの「世界統一権力」に「私有制の尖端部」をみた。雁にとってまず革命は「私有制」の問題である。雁の影響下にあった森崎和江の主題が「非所有の所有」であったこともここに由来する。「そこで要求されるのは二重の倒立である。〔…〕強いていえば私有という不完全かつあいまいな所有形態ではみちることのできない強烈な二種類の所有欲——みずからの私有を放棄し、分解させ、そのエネルギーで前進するほかなくなった正の前衛と、共有という形態によらなければ寸土も所有することのできない負の前衛——が抱擁しようとする高温高圧の状況でしかないのだ」（前掲「幻影の革命政府について」）。五八年の段階では私有制は所有と共有の極限のなかで止揚されることが企図されていたが「わが組織空間」においてはいまだ開花することない「私有制の魅惑」に嘔吐することがせりあがってくる。「すべての抵抗体は私有制の時期おくれの戯画となるか、それとも私有制の進行の先駆となるか、どちらかに帰着する運命をもっている」。「しかしながら、資本制内部の照明はこのような抵抗体によってしか先進坑道を掘ることはできない」。レーニン（すべての左翼と読め）は「包囲を破ろうとあせるあまりに、内向的なベクトルを捨てた」。そうではなく、「包囲の中心をめざしつつ敵を無力化する」ことに「遊撃の思想の本質がある」。これはティクーンがサイバネティクスにはゲリラ戦でしか闘えないと論じたことと対応している[3]。

その一年前に書かれた「わが「差別原論」」と副題された「無の造型（プラズマ）」（『無の造型』）は「わが組織空間」と対照されて

読まれるべきである。ここで論じられる差別＝人種主義の発生の力学は見事なまでに今日的だ。「黒人に警察犬を噛みつかせている南部白人よりも、リンカーンの口説なんぞを持ち出して自己を免責している北部白人の方がはるかに悪いのだ。なぜなら後者は前者ほども無規定の自由さへの恐怖によって逆むけにむかれていないからである。自分たちよりもはるかに強く引きむかされている南部黒人たちが、まるで恐怖すべき自由の象徴であるかのように見えることに対する南部白人の戦慄に、それは侵入することがないから悪いのだ。ただしこの言廻しを逆転して、南部白人の方が北部白人よるもはるかに「よい」ということは断じてできない。そこに差別問題の非対応性がある」。ここにはニック・ランドがその「暗黒啓蒙」の原点に据えた「クラッカー」の先駆がある。雁によるこれへの対決線は以下のようにひかれる。「私は世界中のどの人間よりも、自分の意識の核に遠く位置している。だから私は最大の差別者であり、それゆえ最大の被害者である。最大の被害者は〔…〕断じて自分の無（プラズマ）のために闘うあらゆる権利を持つ。〔…〕このような「極限弁証法」を自分の存在におしつけることなくして、差別を解くカギがあろうと思えない」と書く。ここにこそ雁が石牟礼に説いた「底辺の葛藤」における「意識の全底面の総合」がある。「わが組織空間」は全世界という極大、「無の造型」は差別意識という極小を対象としながら、両者は「極限弁証法」において同一である。そしてこの時、「無」は闘いによって「造型」されるものへと再定義されることになる。

4 雁が傍目からは近しいと思われる者を強く批判した対象は石牟礼だけではない。同じく『極楽ですか』に収録された田中珉あての書簡（「舞踏のなかの〈こどもアルファ〉」）では土方巽が俎上にあげられる。その批判は石牟礼と同じくらいに過酷である。「彼の気合いには人間という人間をかたっぱしから告発してやまない、憤怒の色をした奇妙な虫が棲んでいて、その場で私はこれに〈断罪虫〉という名前をつけて息ぬきがしたくなったものです」。〔「土方にとって」〕罪は自分の所有だ、ゆえに自分がまぎれもなく〈賤の王〉であることを認めない者はゆるしがた」かった、と。雁の土方批判が重要なのは雁もまた（水俣闘争のオルガナイザーでありえたように）〈賤の王〉でありえたからであり、土方もまた（石牟礼と同じく）「無の造型」を徹底させた例外的な存在からだ。それればかりではない。ふたりの文章もまた特異な暗喩を溢れさせながら「デフォルメにつぐデフォルメ」（長原豊）を重ねるスタイルで兄弟のように近似している。「邪視によって産みおとされ、命名によって四つんばいをする恥辱のかずかず。肉のなかで廊下つづきになった兵営、工場、牢獄。そこをたどっていけば、無名の罪アルファに達するというのか」。雁は土方をこう指弾するが、この光景は「原点は存在する」で描かれた「異端の民」そのものではないか。その間隙には雁に見出された賢治がいる。雁によれば、土方は「「王様の対極は何か」という問に対する痛ましさと退屈からはまぬかれては」いなかった。これに対して雁は自分が「〈王〉の反対概念は〈こどもアルファ〉だと信じて」いると書き、その先に〈こどもの舞踏〉を構想するが、このとき、雁の念頭には後半生を賭した「人体交響楽」がおかれていたことはあきらかである。しかし土方の『病める舞姫』（白水社、一九八三）こそは〈こどもの舞踏〉ではなかったのか。[4]

5 ドゥルーズは「裁きと訣別するため」（『批評と臨床』守中高明ほか訳、河出文庫、二〇一〇）で法＝裁きに正義を対置した。正義とは裁きと訣別することである。正義と裁きを切断することは、意志と自由の切断と表裏をなす。正義とは残酷のシステムである。「そこに裁き＝判断力に対立する一つの正義が存在し、その正義によってさまざまな身体がたがいに刻印をしるし、一つのテリトリーの内部で循環する有限なブロックにしたがって、負債は身体にじかに書き込まれるのだ」。これに対し裁きにおいて負債は書物に書きこまれる。『苦海浄土』が最初に描くのは水俣病において「負債は身体にじかに書き込まれる」過程であった。この残酷において、同態復讐は発動される。同態復讐は法の起源であるが、同時にそれ自体は国家を介入させないことによって法への拒絶でもあり、負債を書物＝裁きの教説に明け渡さない闘いでもある。「裁きの教説に対立しているのは、残酷のシステムなのである」。一方、江川隆男によれば「神との裁き」との訣別は「人間本性との訣別」であり、それは無能力を不可避とする残酷である（『死の哲学』河出書房新社、二〇〇五）。ふたつの残酷は異なっているようにみえるが、同じくアントナン・アルトーをモデルにしている。ドゥルーズが裁きの「戦争」に対置した「裁きへの訣別」としての「闘い」においてふたつの残酷はひとつになる。「対抗する‐闘い〔戦争〕はひとつの力を破壊しあるいは押し返そうとする、〔…〕だが、あいだにおける‐闘いのほうは、反対に一つの力を捕らえてそれを自分の力にしようとする」。「戦争」とは「存在」をめぐる抗争であるが、「闘い」は「存在」を拒絶する「非‐存在」への生成である。だから「存在以前に政治がある」（ドゥルーズ＝ガタリ）。「非‐存在」が「正義」であり、「正義」とは「自然」である。「子牛が死ぬ光景を前にして、その子牛が信じがたいほど明確な大自然の実感を伝えてくれるからこそ、自分の責任を痛感する。つまり情動である」（ドゥルーズ＝ガタリ『千のプラトー 中』宇野邦一ほか訳、河出文庫、二〇一〇）。この生成は反自然的な融即である。そしてこの反自然こそが「自然」なのだ。「大自然というものは、こうして自己に反する形をとるしかないのである」（同）。これらすべてが『苦海浄土』の主題である。▼5

6　緒方正人の闘争はこの石牟礼の正義を異なる軌跡において反復するものである。一九七七年、水俣病患者の認定闘争を担っていた緒方正人は、自ら「認定申請」をとりさげその闘争から降り、やがて「チッソは私である」という覚醒にいたる（『チッソは私であった――水俣病の思想』河出文庫、二〇二〇）。これについてわれわれは以下のように書いた「近代をもとめつつ近代を拒むという分裂の根源にむかったがゆえに緒方は発狂する。そのはてに「いのち」が見出され、「チッソは私であった」と思い知る」（『HAPAX』第二号、二〇一四）。しかしこの要約では緒方の闘いをとらえきることはできなかった。緒方がおそれたのは「責任というのが、制度化されてしまう」（『チッソは私であった』）ことであった。そのため、「「加害運動」に対して被害者の側から「救済」が要求され、それを支える「支援運動」があり、どうも「救済の権利」という捉え方に避け難く変化してきたのではないか」。緒方は「権利ということに対して疑問をもっていたんです。「権」というのが好かんとですよ、なんでは。これは自戒でもあっとですけど、人間はどうしても権化しやすい」とも語る。緒方が裁判を降りたのは闘いを放棄したのではなく、逆に「終わりのない道を選ぶ」ことであった。▼6「戦争」にかわる「闘い」。その狂気のときに見出されたのが「いのち」であり、「自然」である。古賀徹は『理性の暴力――日本社会の病理学』（青灯社、二〇一四）でこう論じた。「緒方は加害‐被害という交渉の外部枠組みにしたがってかつては相対を位置づけていた。

しかしながら川本〔輝夫〕との決別以降、被害の立場からチッソを糾弾する彼自身の枠組みが崩壊する。緒方はその崩壊経験を通じて、強制的かつ全面的に自分のうちに侵入してくる自然、つまり区別しようもない存在者の総体を発見したのだということができよう、こうして発見される自然との応答の次元に緒方は「いのち」ないしは「いのちの別名」としての「魂」を位置づける」。この「発見された自然」において緒方は「責任」の「制度化」、「権」、「法」を拒んだ。かわって緒方が選んだのは、「本願」、もしくは「神的暴力」である。「神話的暴力は犠牲を要求し、神的暴力は犠牲を受け入れる」(ヴァルター・ベンヤミン「暴力批判論」)。神的暴力は「裁き」に訣別する。緒方の闘いは病いをなきものにするための闘いではなく、病いを刻印するための、身体を肯定するための闘いであり、「犠牲を受け入れる」ための闘いであり、そのことによって神的である。あらゆる闘いはこの「正義」にはじまる。

7　雁は六四年の「世界統一権力」論をてばなすことはなかった。一九九一年の「メビウスの帯の囚人」(『極楽ですか』)ではこう書かれている。「反資本主義革命は現在の段階では不能である事実が確乎として私たちの眼前にあります。〔…〕発達してゆく台風に似た単一権力生成の渦はまわりにある現実改善の要求を吸いこみ肥大するので、そのときどきの正の記号をたちまち巨大な負の一項としてつけ変えてしまいます。〔…〕私は過去三十年この寒冷な認識に氷漬けされたままでいます」。一九九四年に書かれた「私記風の予感」(『谷川雁セレクション2　原点の幻視者』日本経済評論社、二〇〇九)では「単一世界権力」へ対峙する三つの方途として「酔生夢死」、「いずれ大きなマイナスに転化する改良運動」、そして「〈毒〉の研究、その培養器の試作」があげられている。ふたつめの「改良運動」にはあらゆる革命運動までもが包摂されるはずだ。そして雁がえらぶのは「毒」を培養する「第三の道」である。この「第三の道」が「わが組織空間」でいう「敵を無力化する」「遊撃の思想」の展開であることはあきらかだが、そこに登場するのは宮澤賢治であり、賢治こそ〈単一世界権力〉に対峙するものである。テック以降、雁の全営為の基底には賢治があったが、それは雁にとって賢治があらたなる「原点」として見出されたことを意味する。「現代のこどもはひとりのこらず賢治の孤独の落し子である。かれらは一万年の村が終了した直後の地点を通って、この世にやってきた」（「村の敗滅と賢治初期童話　序説」『賢治初期童話考』潮出版社、一九八五）。雁の「人体交響楽」とは「現代のこども」を「賢治の孤独の落し子」たらしめるための闘いであり、そこで培養された「毒」において「一切諸物を生命体として知覚する」ことが「これからはじまる新たな暗黒（単一世界権力）に小さな孔をうがつ」ことである。雁の最後の著作『幻夢の背泳』[7]（河出書房新社、一九九五）の一編「東アジア黄藍戦争」はその最終的なヴィジョンをしめしている。「東アジア黄藍戦争」とは「漢字世界」である〈黄〉と「漢字世界をバイオ的に化学分解する」力である〈藍〉の抗争（「戦争による平和」）なのだが、そこに出現する〈こども放浪団〉が言語を混血させ変形させて、この抗争を止揚、もしくは極限化する。これは雁が『意識の海のものがたりへ』（日本エディタースクール出版部、一九八四）で提起した「東アジア語」という「革命」のプログラムであり、賢治の落し子としての〈こども放浪団〉は雁の革命軍である。

8　「世界がぜんたい幸福にならないうちは個人の幸福はあり得ない」。賢治のコミュニズムを端的にしめすこの『農民芸術論綱要』のテーゼは『幻無の背泳』の「大消滅・小消滅」ではこう変形される。「世界ぜんたいが幸福にならないうちは（＝世界の閉じ方について悩まない人間に）、個人の幸福はあり得ない（＝個人の閉じ方のモデルができるはずがない）」。「消滅を必至とする宇宙において、しあわせという名の永遠は不可能であるがゆえに、ほろびこそ永遠である」。雁がベンヤミンを読んでいたとは思えないが、これは「ほろび」に「世界政治」を見出す「神学的・政治的断章」に近似している。

そこにいたる雁の思考を要約すればこうなるだろう。①無から有が生じたとしたら、因果律はゆがんでいる。②したがって始原の無と終末の無は別個の質をもつ。③個体の死は宇宙の消滅を反復する。④この消滅には「節奏」がある。「歌は消滅と相性がいい」。消滅の「節奏」は「幸福」である。ベンヤミンは雁の「節奏」に対応するかのように、「メシア的な自然のリズムこそが、幸福なのである」と書いた。

宇宙とは生成であると同時に消滅の過程である。この謎めいた「消滅」論は同書の「手作り「細胞一神教」」における異様な「発生論」と対応する。無から有が生じたことが因果律の破産であったように、生命とは自然にとって〈破局〉である。火と水の混合と分離から生命物質が発生するが、この異なる分子の差異が雌雄の分離へと貫かれる。したがって「進化の全過程をつらぬく本源的な動力は、一秒の例外もなく〈性〉である」。もうひとりの賢治的思想家・真木悠介は賢治の「性」と「宗教」(=コミュニズム)が生の根幹をなす相関的なものであることを論じた。「性現象は、このような個我の欲望の自己裂開する構造の原的に単純な形式であり、宗教現象は、この同じ欲望の自己裂開するダイナミズムの、最も遠い射程を潜勢する形式」(『自我の起原――愛とエゴイズムの動物社会学』岩波現代文庫、二〇〇八)である。雁のダイアグラムはこの真木の生殖論的な図式を遠くこえていく。雁にとって地上の雌雄も「地球の始元たる灼熱の渦」の律動の一形態にすぎない。雁の〈性〉とは存在に先立つ差異であり、それ自体において「大消滅」でもある。この「消滅」=「終末の無」は「タナトス」(ダヴィッド・ラプジャード)的な無差異ではなく、「最大限の差異の肯定」である。そしてその消滅と発生のはざまに「世界政治」が書きこまれる。雁にとって「世界政治」はここまで見てきたように「〈単一世界権力〉対〈宮澤賢治〉」の闘争であり、その闘争において「歌」=節奏が発生する。これはベンヤミンの「リズム」のみならず、その原生命=政治論においてドゥルーズ=ガタリの「リトルネロ」とも共振する。この基底には分裂の始原としての「地球最初の細胞」がある。「いかなる王よりも王であり、どんな神よりも神である、〈生ける中空〉の始祖、ここが一神教の基部だと説かれたら、いさぎよく納得しよう」。この「細胞」こそ、雁の「原点」の最終的なすがたである。「原点」の二重性は発生と消滅の両極性として極限化された。『幻無の背泳』をしめくくる「大口真神を待ちながら」は戦後の労働原理主義と市民原理主義を合わせ鏡の喜劇として指弾しながら、下層の民の、そして狼の〈暴力〉を召喚するのだが、その究極は「激情の源泉としての」台風という気象なのだ。「原点」、すなわち「今日の大地の水川の足もとの深部」とは大気だった。「原点」とは気象である。そして賢治は気象の詩人であった。▼8

9　守中高明によれば他力の核心をなすのは弥陀の「本願」の「未来完了の時間構造」である(『浄土の哲学――念仏・衆生・大慈悲心』河出書房新社、二〇二一)。「たとひわれ仏を得たらんに、十方の衆生、至心信楽して、わが国に生ぜんと欲ひて、乃至十念せん。もし生ぜずは、正覚を取らじ」法蔵菩薩はこう誓願した。「一方で、法蔵菩薩が誓願を立てたとき、菩薩はいまだ仏とはなっていない。他方で、その誓願は実現し菩薩は成仏して阿弥陀仏としてすでにそこにいる。これが本願の構造であり〔…〕、換言するなら、「南無阿弥陀仏」とは〈私は‐仏となった‐ということに‐なるだろう〉という宣言を遂行的に反復することにほかならないのである」。万民万物が仏にならないかぎり仏にならないという「誓願」は絶対的コミュニズムの必要条件であり、それがすでに実現されたと決定することはコミュニズムの十分条件である。そしてわれわれはそのはざまにあって現在を欠いている。すなわち「人民が欠けている」（ドゥルーズ＝ガタリ）。賢治の「世界がぜんたい幸福にならないうちは個人の幸福はあり得ない」はこの未了性に包摂される。「往生」とはドゥルーズ＝ガタリ的な「決定不可能命題」としての「未来完了」のただ中に身をおくことだ。雁の「原点」の最終形が、そしてそこに見出された「世界政治」がしめすものはこれに近接する。「原点」の両極性もまたこの未了性を開くからだ。一方、石牟礼は水俣病という残酷において「正義」を発見し、その闘争において「浄土」を招来させた。ふたりはそれぞれのかたちで「文明」の崩壊を引きうけ、そこから「人間」を超えようとした。

われわれの目的は雁と石牟礼を和解させることではなかった。この両者の間の断層に横たわる「全底面」に、これを「総合」する平面を見出すことだった。それは「本願」の「未来完了」の時間である。そこでは「髪の毛一本にいたるまでが炸裂する秩序のなかに整えられなくてはならない」（アントナン・アルトー「神の裁きと訣別するため」宇野邦一訳、『神の裁きと訣別するため』河出文庫、二〇〇六）。この非‐存在への生成に賭けられたコミュニズムは、大地からの切断を、大気をもとめる。

II　中平卓馬をめぐって――江澤健一郎『中平卓馬論』に寄せて

1　中平の軌跡は以下のように要約される。「ブレボケ」写真によって衝撃を与えた写真家は七三年「なぜ、植物図鑑か」（『なぜ、植物図鑑か』晶文社、一九七三）というテクストで「ブレボケ」を自己批判して、「植物図鑑」の視線で写真をとることを宣言し、その数年後に記憶喪失にたおれたが、復活して「伝説」と化した、と。江澤は『中平卓馬論——来たるべき写真の極限を求めて』（水声社、二〇二一）においてこの中平を論じながら、「来るべき民衆」、すなわちコミュニズムを探求した。以下はこの書に潜在するコミュニズムをつかみだし現在のためにそれを拡張する試みである。

2　中平の軌跡は一九六八年の蜂起が発した問いに同期して、これを誰よりも苛烈に引きうけた者のそれであり、それゆえそこには一九六八の極限が賭けられている。では六八の問いとは何か。「1968年は起こらなかった」（『ドゥルーズ・コレクション2　権力・芸術』杉村昌昭訳、河出文庫、二〇一五）でドゥルーズはこう書いた。「重要なことは、六八年五月に、ある透視力が出現したこと、この現象である。つまり、ひとつの社会がそこに含まれている何か耐えがたいことを突如として見いだし、さらにはそれとは別の可能性をも見いだしたということである」。これは『シネマ2　時間イメージ』（宇野邦一ほか訳、法政大学出版会、二〇〇五）における「時間イメージ」への転換、すなわち「感覚運動図式の崩壊」である。ドゥルーズはこれを第二次世界大戦における転換として描いたが、その基底には六八の経験があったことは疑いがない。「何か耐えがたいことを突如として見いだし、さらにはそれとは別の可能性をも見いだした」こととは「出来事」そのものであり、これは切断であった。ガタリはこの革命的状態を「機械が構造にさきだつ」事態であると定義した。「ダイアグラムとともに、分裂-革命的な構築主義が得られることになる。内側から穴を開けられたイコンを土台とした新しいエクリチュール。すなわち破棄の欲望」。「すべてはダイアグラム的生産によってベクトル化されるだろう」（フェリックス・ガタリ『アンチ・オイディプス草稿』ステファン・ナドー編、國分功一郎・千葉雅也訳、みすず書房、二〇一〇）。機械とはダイアグラムでもある。ダイアグラムは「権力を構成する力関係の表出」としてあらわれる。言表と可視性の作動配列が権力の配置を、もしくは配置としての権力を規定する。六八は例外状態を出現させて統治そのものをゆるがし、そこでダイアグラムを露呈させたのである。図式の崩壊は図表をあらわにする。この断絶が六八のすべてである。

3　中平卓馬の「ブレボケ」写真とはこの断絶であり、写真集が『来たるべき言葉のために』（風土社、一九七〇）と題されたことにしめされるように中平はダイアグラムがあらわす事態、すなわち言葉と見えるものの分裂、そしてそれを実現しそれによってあらわになる力に対してきわめて自覚的であった。「だから一枚の写真はもはや表現ではない。それはすべての形容詞を拒絶してぼくたちに問いを発し続ける一つの疑問形の現実なのだ」（「リアリティの復権」『デザイン』一九六九年一月号）。江澤によれば「彼にとっての記録とは、自己の外部世界の記録であると同時に、カメラをかまえる自己の記録、生の記録なのだ」。この記録自体がコミュニズムである。「それらの写真は、撮影者が主体性を喪失して、一人称を剝奪され、非人称化して無名化していく過程の記録」であり、「複数の他者たちの集団性、共同性へと開かれていく。こうして招来されるのは、来るべき民衆である」からだ。

4　このブレボケの地平において中平は永山則夫の見た風景を撮る足立正生・松田政男の『略称連続射殺魔』とともに出現した風景論にコミットした。「中平さんをはじめとして、松田政男などとわれわれは風景論を語った。この柔構造社会の反映として、限りなくたちはだかって来る情況の風景について、われわれが革命兵士たろうとすれば、その風景を「海」として「魚」のように溶け込み、風景のなかを泳ごうと言った。その風景のなかから立ち上がってくる生命の言葉を中平さんは語った。松田政男は、権力の風景について、国家の反映した姿としての「風景の死滅」を求めて闘争宣言してきた。そして、われわれはその風景論について語ることとすら、エピソード化されないためにメディア論を確立すべきだと考えつづけた」（「メディア論への解体プラン」『映画批評』一九七三年一二月号）。足立正生が中平にこう語るように風景論は定義することが困難であり、それゆえにいまだに重要である。この理路を革命の問いとして描いた平沢剛の論考（「風景論の現在」『風景の死滅　増補新板』解説、航思社、二〇一〇）がしめすとおり中心的な論者である松田政男においてさえ風景論が示すものは変容しつづけたが、これは風景そのものに由来する。その初期、松田は「全空間は敵によって占拠されている」と書くシチュアシオニストに同期するように「国家＝権力論」としての風景を論じた。しかし左派の主題が「何処にも無い場所としてのユートピア」への志向にかわって「何処にでもある場所としての〈風景〉に対する反攻への移行として論じられる時、「風景」は資本主義論をこえて「存在」以前をさししめしているように見える。つまるところ「風景」とはそれらすべてにおいてダイアグラムである。「都市は「風景」そのものなのだ。〔…〕そして夜、都市はあらゆる夾雑物をぬぐい去り、ほとんど完璧な美を獲得する。〔…〕だが、まさしくそれ故に、この敵対する「風景」にはぼく自身の手によって火が放たれなければならないだろう」（「風景への叛乱」『グラフィケーション』一九七〇年六月号）。

5　一九六八的な「犯罪」として足立正生、松田政男らは金嬉老の寸又峡の「計画的な蜂起」ではなく、永山則夫による連続射殺魔を選んだ。金嬉老の蜂起の第三世界革命的な先駆性はあきらかであり、それゆえサルトル主義者でありフランツ・ファノンの翻訳者である鈴木道彦らがその支援に加わった。しかし足立たちにとっては永山の無意識が重要だった。「私は、彼の悪の唯一性を受けとめるべく、私の唯一性と通底し得る映像＝風景を選びとった」（足立正生「〈連続射殺魔〉への架空の質問」『日本読書新聞』一九七一年一月一日号）。この映画において人間もまた風景であり、風景とは断層であり断絶である。そしてこの断絶＝裂け目はプロレタリアとプロレタリア化されない下層民にとっての境界でもあり、フーコーによればこれこそが統治の基礎をなしていた。すなわちこの裂け目は資本と法＝権力の双方にとっての境界である。永山則夫はこの裂け目＝境界を彷徨し、これに銃弾を放ったのである。永山則夫をモデルにしたもうひとつの映画『裸の十九歳』を批判して平岡正明はこう書いた。「新藤兼人が少年の反抗の理由を、なにごとかの因果関係をば誠実に、粘り強く追求している点が倒錯であるとわたしには思われた」。永山の孤独にはその幼少期の苦境があり、そこをつかまえる足立や松田にとって第三世界論的な「因果」はあきらかであった。しかし犯罪はそこからの「断絶」でもある。「風景とは根源的なものなのだ。〔…〕いまにもおそろしい風景がおそろしいわけではない。絶対値・風景が無条件におそろしい」（「風景のある風景」『一橋新聞』一九七〇年三月一日号）。「風景」とは絶対値、すなわち「強度ゼロ」である。江澤によれば「中平の写真は、その風景を不鮮明化して、不安定化し、微粒子化していく」。

6　中平はこの裂け目をブレボケ写真において発見しながら、

これを苛烈に自己批判して、「植物図鑑」へと写真を転換させることを宣言する。この転換には六八の命運そのものが賭けられていた。一九七二年から七三年にかけて、六八的なすべてに転換が問われた。それを悲劇的に象徴したのは連合赤軍の内部粛清と銃撃戦である。この衝撃を受けて国内の赤軍派は諸派に分裂したが、そのほとんどがこの悲劇を急進主義の敗北として古典的なプロレタリア革命路線へと回帰していった。転換したのは赤軍諸派だけではない。連合赤軍事件を境に政治闘争は後景化し社会運動が「革命的」意義を担わされていった。かわりに政治は「内ゲバ」と呼ばれる党派闘争によって代補されることになる。しかしここで起こっていたのは本質的には政治闘争から社会運動への転換にとどまるものではない。世界を壊乱したことで六八が「ある透視力」を与えたとしたら、それはそれまでの勝利/敗北そのものを破棄し、政治そのものを定義し直すことであったはずだ。これをドゥルーズは「統一」にかわる「分裂」への移行として論じた。「もはやプロレタリアートによる、団結し、統一された民衆による権力の奪取がないだろう。第三世界の最良の映画作家たちは、ほんの一瞬それを信じることができた。〔…〕しかしこのような側面において、これらの作家たちはまだ古典的な発想を共有していて、移行過程は実に緩慢で、知覚しがたく、まったく特定するのが難しいのだ。意識化というものに弔鐘を鳴らしたのは、まさに民衆は存在せず、いくつかの民衆が、無数の民衆が存在し、それらが統一されないままであり、問題が変化するためには、統一されてはならないということの意識化なのである。〔…〕現代の政治的映画は、この断片化、この分裂の上に構築された」(『シネマ2』)。これは世界的な革命の前線がベトナムからパレスチナへと移行したことと相関する。前線は地理上で移動したのではない。パレスチナとは「永遠の移民の時間的分裂症がその後を継いだ空間的分裂症」(ポール・ヴィリリオ「革命的抵抗」澤里岳史訳、『民衆防衛とエコロジー闘争』月曜社、二〇〇七)の闘いだからだ。これらはすべて中平の転換と並行する。だがブレボケはすでにダイアグラム的であり、「統一」などとうに捨てられていた。しかしなおその移行はまだ「思いつきであるにすぎ」ず、「明確化するに至らなかった」。それゆえ「私による世界の所有を強引に敢行しようとしていた」と中平は総括する。風景を撮るのではなく、風景そのものになることが六八的な問いに対する中平の回答であった。このとき、「世界は解体した断片として、まさしく裸形でわれわれを襲う」。江澤によればこの移行は「風景から物質へ」の転換でもある。[9]

7 「分裂」は中平にとって「図鑑」として表現された。江澤によれば「図鑑的写真は、唯一無二の特異性を提示する」。同時に「図鑑性」は「複数性」を意味する。「中平が図鑑的な複数性として写真に要請する」のは「等価な並列」であり、「それらのあいだには時系列性も、説話性も、位階性も介在しない」。「その断片的多数性は、閉じた全体を形成することなく、際限なく再編成される開かれた全体、終わることなき未完の全体を生じさせる」（江澤）。これは離接的総合、そして分裂的総合そのものであり、無限判断がそこに開かれる。「図鑑」が新たな図表（ダイアグラム）をしめす。「図表は、単に地層化の二つの形式を外在的に関係づけるだけではなく、図式論がもつ受容性に対する自発性の優越性を解体しつつ、両者間の新たな関係を逆‐図式的に創出するという意味で実に価値転換的である」（江川隆男「ディアグラムと身体」『すべてはつねに別のものである――〈身体‐戦争機械〉論』河出書房新社、二〇一九）。「自発性」を解体し「受容性」に視線を委ねることこそ以降の中平にとっての主題である。中平にとって主語は「私」ではなく「世界」となる。「ブレボケ」はダイアグラムを発見させたが、ダイアグラム自体が図式の転換を要請した。これは権力との抵抗の戦略そのものの、そしてコミュニズムの転換を意味する。この転換の格闘は『決闘写真論』（朝日新聞社、一九七七）に凝縮されている。「とりあえず私は、写真を意識とそれを乗り超える世界との拮抗にかかわるものとして捉えている。意識を挑発し、攪乱する者としての写真。一本の樹、一枚の石壁へのクーデター。一本の樹、一枚の壁から私へのクーデター」「写真家にできることは、世界に、現実に、問いを発し続けることだけである。「なぜ？」しかし写真家は決してその問いにみずから答えることはできないだろう。答えはわれわれではなく、世界の側が持っているのだから。その時、現実、ものはまったく異なる光の中でものの言葉で語り始めるのではないか〔…〕現実の数々は自己自身を炸裂させるだろう」。江澤によれば「そのとき、既知の遠近法は崩れ去り、見る「私」の主体性は解体される。中平は、この本でそのような主体の崩壊による「受容性」「受動性」を苛烈に要求していた」。江川のいう「逆‐図式」を中平は倫理として引きうけた。「風景への叛乱」は「風景からの叛乱」にかわる。

8　この『決闘写真論』の刊行とほぼ同時に中平は酩酊の末、昏睡状態に陥り、記憶を失う。江澤は中平がブレボケの時代に『かくも長き不在』にふれて記憶喪失を写真家のモデルとして論じていたことに着眼した。「彼もまた忘我になり、記憶喪失になり、他者になる」。それを実現するように中平が記憶を喪ったとしても「彼の病を特権化」してはならないが、「主体の崩壊による「受容性」「受動性」」の「苛烈」な要求に中平の身体が応えたことはたしかである。中平の軌跡は「病」とは何かをも根底から問いかける。「だが彼はじつは写真を撮るたびに記憶喪失者に「なって」いたのではないだろうか」。中平は記憶喪失者へと生成した。「記憶喪失への生成」、それはなにより徹底した無能力への生成である。これ以降、中平はマイノリティへの生成変化を「撮影行為」として実践する。「非人間的な知覚」をしめすものとしての「写真」の極限がきわめられる。被写体は第三世界としての「子供たち」へ、そして「動物たち」、「睡眠」する人、「路上生活者たち」へと移行する。それだけでない。「被写体をクローズアップしながら、裁ち落としのフレーミングによって大胆に切断して、断片化する。〔…〕「これ」は〔…〕「これならざるもの」になるのである」（江澤）。「タケノコ」は「そのタケノコ」が存在する場そのものを断片として提示する」ことになる。「「A＋B＝C」というよりも「A＋B＝？」という不可思議さへと地滑りを起こし、読解可能な知の営みは、無効化されて崩壊せざるをえない」。「事物の視線」はもはや問題にはならない。すべての事物は身体であり、ティム・インゴルドにならっていえば事物＝対象なき世界が開かれるからだ。インゴルドはこれを気象と呼んだ（『ライフ・オブ・ラインズ――線の生態人類学』筧菜奈子・島村幸忠・宇佐美達朗訳、フィルムアート社、二〇一八）。中平が記憶をとどめるための日録は天気の記述にあふれる。記憶なき写真において「私」は消失し、これを見るものもまた「記憶喪失」へと生成する。この二重の生成変化においてこそ「来るべき民衆」が到来する。「大地のコミュニズム」の果てのない抗争から断絶された「大気のコミュニズム」。これが新たな政治のはじまりである。そしてこれは六八が発した問いへの身を賭した回答であり、さらなる問いでもある。

9　もう一度、江川隆男を参照しよう。江川は旧来の「大地」にはじまる思考を気象的に「大気」からはじめる思考へと転換すべきことを提起している（『HAPAX』第一三号、二〇二〇）。それにあたって江川は気象哲学が三つの時間の総合からなると論じた。ひとつは終末論的な時間であり、第二は〈雲‐カオス〉の脱地層的にしてルクレティウス的時間、そして第三は原子なきクリナメンの時間である。この三つの時間は中平の三つの次元に対応する。大地からの逃走としてのコミュニズムがあり、次に分裂的な「図鑑」のコミュニズムがあり、最後に非‐戦闘としての大気のコミュニズムがある。これらは風景、事物、気象である。すべてを規定するのはこの三つめの時間であり、「来るべき民衆」はこの気象的コミュニズムにおいてこそ招来される。これは「自然に内在し直す」ことでもあるのだが、この「自然」とは非共可能的なもの、分裂的なものである。これらすべては記憶喪失以降の中平の写真が生成させているものだが、それを導いたのは中平の苛烈な問いである。江澤の書はこれらをあきらかにした。

10　ジョン・バージャーの『見るということ』（飯沢耕太郎監修、笠原美智子訳、ちくま学芸文庫、二〇〇五）にロメーヌ・ロルケという彫刻家についての一章がある。ロルケはその作品を自分が住む農家の丘陵部におく。「幾つかは木の下の大地に横たわり、他は下草に隠れてほとんど見えなくなっている」。バージャーによれば、それが暗示する「芸術制度への拒否は、〔…〕文化的なものではなく、機能的な拒否である」。反芸術運動などは文化的拒否にとどまり、それゆえ「制度へと回帰する」。ロルケの拒否は「歴史的孤独を余儀なくされる」。これをひいて矢野静明は、この「歴史的孤独」は「膨大な忘れ去られる個々の生、しかし確実に実在していた時間を呼び表すために名づけられた名前のことではないだろうか」と問いかける（『絵画以前の問いから――ファン・ゴッホ』書肆山田、二〇〇四）。ロルケの選択は「もの」派の反転である。「もの」派は自然の「もの」を外部性として「人間」に現前させた。六八年にはじまる「もの」派は中平たちの「ブレボケ」と共振するものであり、実際、李禹煥は中平と近しかった。「彼の目に写る風景」は「砂漠や廃墟のように」見え、「それは僕とまったく同じなんです」と李は語る。李は「植物図鑑」で中平が「対象化できないモノ」を見出したと語る（「中平卓馬は、産業社会のアンチとしてモノを見出した。」『美術手帖』二〇〇三年四月号）。しかし最後の中平はここまで江澤に導かれて見てきたように「モノを見出した」だけではない。「ブレボケ」が六八年の「もの」派に対応していたとすれば、その絶対的な孤独において最後の中平はロルケに対応する。風景を廃墟とするだけでなく、われわれをも廃墟とすること、人間の中に自然を到来させることに留まるのではなく、自然に人間を埋め込み融即させること。▼10 この反転が気象的コミュニズムである。▼11

註

▼1 〈原水俣・楽園〉説は雁がこれを書いた当時以上に現在の石牟礼受容の主流をなしている。驚くべきことに石牟礼を水俣から解放せよ、という論まで出現している。

▼2 雁から平岡正明へいたる線から、この拙論で描くのとは別の線をひくことができる。赤井浩太の「日本語ラップ feat. 平岡正明」（『すばる』二〇一九年二月号）がそのひとつの見事な例証である。その先にはジョージ・フロイド叛乱とこの列島の都市下層の共振が開かれるだろう。

▼3 ティクーン「サイバネティクスの仮説（抄）」『ＨＡＰＡＸ』第六号、二〇一六。

▼4 土方巽はある意味で雁以上におそるべき思想家である。これについては別の考察を必要とする。

▼5 五所純子の『薬（クスリ）を食う女たち』（河出書房新社、二〇二一）は『苦海浄土』の現在形である。これは決して破滅や敗北の物語ではない。身体の「正義」の顕現である。

▼6 いうまでもなく「裁判」もまた「神的」でありうるし、そのような「闘争」の事例はいくらでもあげることができる。

▼7 雁のこの書は思考の決算ともいえるものであるにもかかわらず、その異様さゆえに論じられることは稀である。その数少ない例外が前田英樹による同書刊行時の書評（『在ることの魅惑』現代思潮新社、二〇〇〇）と松本潤一郎「子供・物質・政治」（『道の手帖　谷川雁』河出書房新社、二〇〇九）である。前者は前田的ベルクソニズムにひきつけて雁に潜在性を読みとり、後者は「物質に内在する子供による政治の構想」として本書を精密に考察している。ともにこの奇怪なテクストにわけいるための重要な指標である。

▼8 雁の消滅論はレイ・ブラシエの絶滅論（「絶滅の真理」星野太訳、『現代思想』二〇一五年九月号）、埴谷雄高の『死霊』などと対照して論じられるべきであろう。一方、雁の原細胞論に賢治も影響をうけたヘッケル的な進化論（個体発生は系統発生を繰りかえす）の影を認めることも可能である。しかし雁は原細胞に歌と消滅を導入することで、そこから大きく逸脱する。

▼9 ゴダールは一九六八年、ジガ・ヴェルトフ集団を結成し、七〇

年、パレスチナへ向かう。しかしPLOとの共同製作による『勝利の日まで』は完成させることができなかった。足立正生によれば、七〇年におこったパレスチナ人虐殺事件「黒い九月」へのアラブ諸国およびPLOの政治のためである（「ゴダールの書かなかった遺書『ここよそ』を見る」『文藝別冊ゴダール』河出書房新社、二〇〇二）。そしてこれは七五年に『ここよそ』として再編されて完成させられる。「ここよそ」、離接による「人民の不在」を発見することがゴダールにとっての六八の総括である。七九年に商業映画に復帰したゴダールはこの「ここよそ」を今に至るまで反復する。足立正生は七一年、「風景論」の展開として『赤軍‐P.F.L.P. 世界戦争宣言』を撮り、赤バス隊で全国上映運動を行った後、日本赤軍へ合流した。そして七七年、日本赤軍はダッカ空港でのハイジャックによって政治犯とともに一般刑事犯を奪還する。これが『略称連続射殺魔』への総括である。これらの軌跡は中平という線とあざやかに並行している。足立の作品もまた中平との並行において論じることができるはずだ。「アソ連合赤軍1977――「人民は欠けている」考」（『HAPAX』第六号、二〇一六）参照。

▼10 ゼーバルトはロベルト・ヴァルザーについて論じながらこう書いた。「ゴーゴリとヴァルザーも、結局は自身の造った人々の群れにまぎれて、それと見定めることができないのだ。［…］彼らは書くことによって非個人化をなしとげ、書くことによって自己を過去から切り離した。彼らが理想とするのは、完全な記憶喪失の状態だった」（『鄙の宿』鈴木仁子訳、白水社、二〇一四）。これはロルケや中平と同じ「闘い」の先駆である。

▼11 いうまでもなくわれわれが「気象」というとき、「気候変動」が意図されているが、それを主題とした闘争についてはここでは触れていない。ただ「気候変動」が根底からの政治の転換を迫っていることはあきらかであり、この拙論もそのための試論である。それはひとことでいえば「構成」から「脱構成」への（「存在」から「非‐存在」への）転換である。新たな政治の予兆は気候変動をめぐる資本や国家との闘争だけではなく、さまざまな蜂起、闘争に見てとることができるし、香港やジレジョーヌ、ジョージ・フロイド叛乱はそれを先駆するものであった。

ジャンキー・コミュニズム

M・E・オブライエン
R／K訳

Junkie Communism
M. E. O'Brien
Translated by R/K

以下に訳出したのは、雑誌*commune*の第三号（二〇一九）に掲載されたM. E. O'Brien "Junkie Communism" である。

——訳者付記

*

誰も遺棄されてはならない。

一九七〇年十一月、ヤング・ローズ（Young Lords［プエルトリカンを中心とした政治グループ］）とブラックパンサー党はリンカーン病院の一角を奪取すると、ニューヨーク市のヘロイン蔓延の中心地であったサウス・ブロンクスに最初のドラッグ治療プログラムを設けた。「ピープルズ・デトックス」は、黒人やプエルトリカンの民族主義左派、社会主義者、ラディカルな医療労働者の協同のもと、旧看護師寮にて施された。フランツ・ファノンの精神医療法に影響を受けた活動家たちは、ドラッグ依存を克服するためには革命的な政治教育が不可欠だと考えていた。プログラムを運営したムトゥール・シャクール（Mutulu Shakur）▼[1]やヴィセンテ・〝パナマ〟・アルバ（Vicente "Panama" Alba）▼[2]、クレオ・シルヴァーズ（Cleo Silvers）▼[3]、リチャード・タフト医師（Dr. Richard Taft）▼[4]などの人びとは、アメリカではじめてドラッグ治療の方法として鍼療法を導入した。この実践はやがて制度化され広く普及するようになった。活動家たちは一九七一年、治療プログラムへの市からの資金助成を勝ち取る。一九七八年に警察が治療施設に押し入り、革命的な幹部たちを排除するまでプログラムは運営された。この時代はブロンクスにおける政治的な組織化が絶頂期を迎えるとともに、ＨＩＶ――まだ医療機関からは命名もされず、存在も知られていなかった――が静脈注射を用いるドラッグユーザーたちの命を奪いはじめた頃でもあった。

ヤング・ローズが「リンカーン病院攻勢（The Lincoln Hospital Offensive）」と呼んだその取り組みは、ヤング・ローズによる健康関連の運動のひとつだった。ヤング・ローズは保健委員会のオフィスで座り込みをおこない、イースト・ハーレムとサウス・ブロンクスの子どもたちのためにリード・ペイント・スクリーニング〔建物の塗料内に含まれる鉛の量を調査する検査〕を要求したり、肺結核の検査のために移動式X線検査車をハイジャックしたりした。このようにして、活動家たちはクラック依存やＨＩＶとエイズの蔓延、大量収監の急速な増加という時代の到来を予見していた。また活動家たちは、ドラッグ依存が一九七〇年代初期に盛んだった革命的な組織化や大衆蜂起の崩壊をもたらすことに気づいていた点で、みずからの組織化の制約を認識してもいた。

これらは、第二次世界大戦後にニューヨーク市がつくりあげた多分に社会民主主義的なインフラストラクチャーを改善、民主化し、そして奪取するという広範な運動のなかでなされた試みであった。福祉権運動の黒人女性たちは、福祉手当を得るために座り込みをおこなった。組合加入者の行政雇用拡大を求めた黒人とプエルトリカンの労働活動家たちによる組織化は成功裏に終わった。学生たちは市が運営する無償の公立大学制度を統括する建物を占拠し、「自由入学（open enrollment）」▼5を勝ち取った。これらの戦闘的な活動家たちはニューヨークの人種的矛盾に立ち向かいながら、労働者に基盤をおいた社会民主主義が、増大しつつある黒人やブラウンの労働者階級の利益に準じて機能し、かれ・かの女らの要求に服するものへと変化するよう求めた。

ヤング・ローズやその協力者たちは、ブロンクスで初のドラッグ治療プログラムを設けた「リンカーン病院攻勢」に取り組むことで、二十世紀の社会主義において最も論争的な問いのなかに身を置くこととなった。すなわち、安定した仕事につけない労働者階級のメンバーがもつ政治的役割とはなにか、という問いである。労働者階級が尊重される政治を追求してきたヨーロッパの大衆的な社会主義政党は、長い間「ルンペン・プロレタリアート」や「アンダークラス」、「貧民」に対して両義的な態度を取りつづけてきた。**労働の尊厳が社会主義の基盤にあるとすれば、安定した雇用にありつけないジャンキーたちは、革命的プロジェクトのなかに居場所を持たない。**労働者階級のなかへ適切に貧民を吸収しその道徳的救済を追求するか、それとも社会主義的想像力から貧民を除外してしまうかの間を揺れ動きながら、労働運動はかれ・かの女らを自分たちの支援者とはみなさかった。アメリカでは、ルンペンは明らかに人種化されており、一九六〇年代後半に百五十以上もの街で暴動を起こした黒人やブラウンの若者たちともかかわっていた。

　ドラッグディーラーやドラッグユーザーは、社会主義者が長い間軽蔑してきたルンペン大衆の特徴を体現していた。つまり、信頼できず、無規律的で、同志を密告するなど警察の圧力を前にするとすぐなびいてしまうという特徴である。ブラックパンサーに刺激を受けてオーソドックスな社会主義者とはたもとを分かったヤング・ローズは、アメリカの都市部で路上にたむろしハスラーで身を立てる有色の若者を勧誘する方法で組織化を進めていった。ヤング・ローズはドラッグ依存がもたらす混乱が労働者階級の生を破壊すると理解し、依存者たちを革命的主体へと変貌させる方法を模索した。

　犯罪化され、人種化された貧民によるこれらの闘争は極めて強い力を有していた。というのも、これらの闘争は同時代の労働者階級による広範な反乱とも断絶していなかったからだ。自動車製造やヘルスケア、市役所業務などの分野においてストライキの波を先導した黒人労働者たちは、一九六〇年代後半の暴動に参加した人びとに押し並べて共感を寄せており、人的にも重なっていた。ヤング・ローズによるリンカーン病院の占拠に参加していた戦闘的な医療労働者グループの医療革命組合運動（HRUM［The Health Revolutionary Unity Movement］）は、デトロイトの自動車工場の黒人労働者組織であるダッジ革命組合運動（DRUM［The Dodge Revolutionary Union Movement］）から影響を受けていた。当時の黒人とプエルトリカンの運動の内部では、さまざまな部門の労働者階級が真の連帯関係と闘争を紡ぎ出していたのである。

　ヤング・ローズによるドラッグユーザーの組織化は、コミュニストの試みにとって何が不可欠かを把握していた。すなわち、資本主義下での生の苦痛は労働者階級を分裂させ、人びとの肉体を破壊し、わたしたちの生を遺棄してしまうものだった。階級社会を打倒するには癒し（ヒーリング）の実践や、人間の生における普遍的な尊厳の回復、労働者階級内部の亀裂を乗り越える連帯と愛を築くための方法が求められる。苛烈で混沌としたドラッグ依存に陥っている人びとの存在を理解する以上に重要であり、また困難でもあることはないのだ。

—

わたしがリンカーン病院のドラッグ治療プログラムが有する戦闘的な起源について学んだのは、サウス・ブロンクスを拠点とする注射器交換プログラムで働くためにイースト・ハーレムに移ってきてから少し後のことだった。わたしたちは毎朝早くから、注射針回収容器や殺菌済みの医療用注射器がつまった箱をいっぱいに積んでバンや小型トラックを走らせる。ブルックナー高速道路に乗って朝の時間帯の交換場所へと向かう。同僚のアンヘルが指示を出し、テントとテーブルを組み立てて供給品を積む。特に寒い日には、ガソリン式のヒーターを焚くこともあった。数人のスタッフは交換台の席について、絶え間なくやってくる参加者たちとお喋りを始める。アイザイアは七十代前半のアフリカン・アメリカンの男性で、鍼療法のテントでスタッフをしてくれる。交換所ではアイザイアが一番お洒落な身なりをした働き手で、色の鮮やかなスーツや中折れ帽を身にまとい、交換所のそばの歩道に設置された椅子で、ストレスを和らげる耳への鍼療法をおこなってくれた。

箱を移動させたり、注射器のテーブルで仕事をしている人びとにコーヒーを作ったりする自分の仕事をしながら、わたしは同僚のリッキーと話すようになった。プエルトリコ出身のリッキーは、一九七〇年代から八〇年代にかけてブロンクスでドラッグを捌いて過ごしたが、それは自分自身がドラッグを常用するためだった。かれはブロンクス・リバー・ハウシーズでクール・ハーク（Kool Herc）▼[6]が主催していた初期のヒップホップのパーティのことも記憶していた。かれはすでにドラッグから足を洗っており、それ以来ずっと注射器交換所で働いている。わたしたちの同僚のほとんどが以前はドラッグユーザーだった人だが、そのうち数人はまだ定期的に服用していることも知ってはいた。わたしはリッキーと読んだ本について話をした。わたしはニューヨーク市の歴史やヤング・ローズに関する本、あるいはニューヨーク市政がいかにブロンクスを燃えさかるままに放置してきたかが書かれた本などを読んでいた。かれは自分がこのプロジェクトのなかでどうやって成長してきたか、刑務所の内や外でどんな時間を過ごしてきたか、また時には、ブロンクスで競ってオルグをしていた革命政党やナショナリストの党派と巡り合ってきた過去について教えてくれたものだ。

プログラムの参加者たち——わたしたちは注射器交換サービスを受けにやってきた人びとを、ヒエラルキーや制度性を想起させる「受益者（clients）」や「患者（patients）」ではなく、「参加者（participants）」と呼んでいた——は、自分や注射器をともに使っている人の身の安全を案じて、清潔な注射器のためにプログラムにやってきていた。参加者たちは静脈注射によるドラッグ、大抵はヘロインを使用したことがあるという共通の経験を持っており、またオンライン上で注意を払って注射器の注文を手配するだけの生活上の余裕を持ち合わせていなかった。ほとんどがホームレスの経験があるか、刑務所を行ったり来たりしていた。その多くはブロンクス育ちだったが、それ以外にも最近になってカリブからやってきた人たちがいた。多くのトランス女性も注射器の交換に来ていた。わたしたちの交換プログラムに来ていた多くの女性たちと同様に、かの女たちもセックス・ワークをしながらなんとか生計を立てていた。

日に二、三度は参加者から、ドラッグ治療プログラムに参加するにはどうしたらいいかと聞かれるものだ。手にしていたチラシを脇に置き、小型トラックの後ろに座ると、可能な選択肢について話し合う。わたしの仕事は市内のドラッグ治療施設のなかから空いているベットを探して、そこまでの移動手段を手配することだった。ドラッグ治療プログラムは、長きにわたる重度の依存状態から脱するために必要な、長期間のプロセスの最初の段階と考えられていた。わたしが仕事をした参加者のなかには依存症状から脱してクリーンなままでいたいと心から願っている人もいたが、ほとんどの人は、数日間だけ路上の生活から抜け出す手段の代わりとしてだったり、混乱した家庭生活によるストレスから逃れたり、執拗な借金取りや怒りまくったディーラーらの目を避けたりするために治療を利用していた。ドラッグ治療プログラムは薬物離脱症状を和らげるのに十分な治療を提供するとともに、人生をやり直し立ち直るための方法にもなっていた。多くの参加者はホームレスの時期を経ることで、身分を証明するものがなにもなかった。そこで、ファイルになにかしらのＩＤのコピーがまだある可能性を信じて、かれ・かの女らが以前医療行為を受けた場所を探し出すのを手助けした。またわたしは、医療扶助制度（メディケイド）に関する問題の解決にも手を貸した。政府が提供する保険は、何度もドラッグ治療を受診するとひとつの医療施設にしか適用されないようになっている。そこでサーヴィスをどこの施設でも受けられるようにするための特別許可を発給させたのだ。

　簡単には医療扶助制度の権利を持つことができない人びと、とりわけ移民の参加者たちには公共病院でのドラッグ治療を勧めることもよくあった。医療保険の資格を持たない人も公共病院だけは受け入れてくれるからだ。リンカーン病院でのドラッグ治療プログラムではもはや革命的な政治教育はおこなわれていなかったが、ヤング・ローズによる奪取以来三十年が経ってもそこは人びとに開かれた、役に立つ場所だった。それにリンカーン病院ではアイザイアや多くの交換所の職員もトレーニングを受けた、ドラッグ治療に特化した鍼療法のトレーニングプログラムが催されていた。

　わたしは、自分が紹介した人びとが参加しているドラッグ治療プログラムに二、三日したら問い合わせて、かれ・かの女らのその後をチェックする。もしドラッグ治療プログラムの方でリハビリプログラムがみつかっていないようなら、わたしも参加者がプログラムをみつけられるように動いた。ドラッグ治療では薬物からの離脱を医療上の問題として取り組む。リハビリが提供してくれるのはドラッグをやめたままでいるのに必要なスキルである。わたしが紹介した人びとの多くは、二、三週間したら路上に戻ってしまうものだった。それでもわたしたちの注射器交換所はいつでも利用できるし、誰かを非難したり、裁断したりすることもせず、清潔な注射器を提供してヘロインを静脈注射で摂取している人びとが、ＨＩＶやＣ型肝炎の感染にかからないようにするのを手助けするだけだった。

注射器交換プログラムは、エイズの感染爆発という壊滅的な状況とたたかう活動家たちによって一九八〇年代後半に北米の都市で設けられた。一九八〇年代後半から一九九〇年代前半にかけてヘロインユーザーたちは、驚くべき確率でエイズによって死亡していた。清潔な注射器の提供は、他のどんな処置よりもはるかに命を救う上で効果的だった。アメリカにおける初期の注射器交換プログラムは、多くの場合違法とされていた。ボランティアたちは収監されたり、医療ライセンスを剥奪される危険と隣り合わせだった。エイズ運動によって政治化したヘロインユーザーたちは、エイズ運動内部の人種的・階級的分断に問題意識を持っていた看護師や医師、アナーキストや活動家たちとともに、みずからも交換プログラムを手伝うようになっていった。アナーキストにとって交換プログラムは、大部分の社会サーヴィスが示すような道徳主義や恩着せがましさとは無縁の、ラディカルな相互扶助の形態のひとつだった。エイズの組織化グループは注射器の交換のためにたたかうとともに、ホームレス状態〔を強いられること〕や警察の暴力、エイズの犯罪化などに抗し、またセックス・ワーカーの権利を守るための運動を展開した。エイズ運動はほとんどの場合、もはや弱体化した労働運動や公民権組織と関係を築くことはできなかった。この数十年の間に起こった経済危機と犯罪化〔の趨勢〕、そして左派の崩壊という事態のなかで、黒人やブラウンのコミュニティ内部において、賃労働者とルンペン・プロレタリアートとの間の連帯は困難なものになっていた。

　注射器交換はハーム・リダクション（harm reduction）として知られる倫理的かつ政治的なヴィジョンの一環をなすものだった。ハーム・リダクションは「禁欲に基づく」ドラッグ治療やドラッグ使用の犯罪化とは、するどく対照的な立場にある。ほとんどの社会サーヴィス――住宅プログラムから、メンタルヘルス上のカウンセリングや治療プログラム、現金振込給付、また食料プログラムまで――は、路上で売られるドラッグや未承認の治療薬を使用しているとされる人びとや、その疑いがある人びとを締め出してしまう。とりわけ、わたしが参加者たちに勧めたリハビリプログラムのようなドラッグ治療プロラグラムは、〔基本的には〕権威主義的な治療モデルに基づいている。この治療モデルでは、クラックやヘロインに〔再度〕依存してしまった際にどういった選択をするか、患者本人が決める権利は剝奪されるのが原則だ。

　ハーム・リダクションを志向する活動家たちは、多くの人びとがドラッグの使用を完全にやめることも、その準備ができていないこともわかっていた。サーヴィスを利用する前提として使用を自制するよう求めることはドラッグユーザーたちを孤立化させ、より破滅的な使用方法を招いてしまう。そのかわりにこうしたプログラムが追求したのは、ドラッグを使用することで直接的に被る損害（ハーム）とドラッグを取り巻く社会的スティグマに起因する損害（ハーム）、その両方を軽減することだった。ハーム・リダクションが追求するのは、自分自身が定めた目標と要望を達成しようとするユーザーの支援だが、そこには現在の段階でも今後においても、ドラッグの使用をやめることは必ずしも含まれない。このアプローチが呼びかける倫理的かつ実践的な方向性は、社会サーヴィスやラディカルな政治の現場においても稀有なものだった。それは、痛みやトラウマを抱え、自己破壊的な側面をもった人びとに労わり（ケア）をもってかかわるものであり、また人びとがいまどうあるべきで、どこをめざすべきなのかといったことについて狭小で予見的な裁断を下すことなく、変化と癒し（ヒーリング）の可能性に真剣に向き合おうとするものだ。

　わたしが最初にハーム・リダクションに関心を抱くようになったのはフィラデルフィアに住んでいるときのことだった。わたしはみずからのジェンダーの移行過程にあり、またトランス・ピープルにＨＩＶの医療サービスを提供する仕事で初めて事務職に就いていた。わたしはアナーキスト的な運動シーンのなかにいたものの、自分が女性としてカミングアウトすることで経験した性差別とトランス嫌悪を踏まえて、現場へのコミットメントを見直しているときでもあった。ホームレス状態にあるトランス女性たちとともにシェルターへのアクセスを確保する一方で、わたしは次第にソーシャルワークの持つ政治性に苛立つようにもなっていた。そんなとき、フィラデルフィアの友人が自殺し、現場の人びとの間で道徳的な価値判断に基づく時に激しい非難の応酬が繰り広げられるのを目撃するようになった。わたしたちには互いに愛し合いながら批判することも可能なはずなのに、どちらもおこなうのはほとんど不可能だった。わたしはみずからのメンタルヘルス上の問題にうち当たっていたが、ケアのあり方をめぐるさまざまな矛盾を調べていくうちに、自分の所属するラディカルな集団のなかではそうした問題への理解をほとんど得られないことがわかっていった。自分の不調の原因がうまく理解できないことへの恥じらいの感情と、そもそも自分にはなにも問題などないのだと見栄をはってしまうこととの間で、わたしは揺れ動いていた。そして、ハーム・リダクションがべつの種類の実践に向けた道のりを示してくれているように思えた。ガチガチな政治的公正の基準に立って、繰り返し相手を――そして自分たち自身をも――裁断しないというオルタナティヴな倫理的な枠組みがそこにはあった。わたしたちはその代わりに、敬意をもって互いをケアし合うこと、わたしたち自身の最も痛みを抱えた部分をも愛をもって受け入れることで、自分たちに襲いかかってくる危害にたいする包容力〔の限界〕に挑戦することを学びえたのだ。

　人生のほとんどをディーラーやユーザーとして過ごしてきた交換所の同僚たちからは、ハーム・リダクションがいかに自分たちの経験の政治化を手助けしてくれるのか、つまり個人の悲惨な経験を、集合的な連帯の実践と社会を批判する基盤へと変化させていく姿を学んだ。わたしが同僚たちやハーム・リダクションのトレーニングから学んだのは、とてもしんどい時間を過ごしてきた誰かと、落ち着いて温かいかたちで関係を築きつつかかわっていくための方法である。これはほとんどの政治的活動においても重要な技術だ。わたしはブロンクスの路上で使われているドラッグはなにか、また日常を通じてドラッグがどのように多様に使われ生活に織り込まれているのかなどについて多くのことを学んだ。同僚たちは、困難にあふれ痛みにみちたこの世界のなかでも、もう少しだけよく愛し合える方法をわたしに教えてくれたのだ。

この直近の三年間、薬の過剰摂取（オーヴァードーズ）率と自殺率の上昇によってアメリカ人の生涯寿命は短くなっている。これはエイズ危機がピークを迎えて以降はじめての低下であり、また今世紀に入って最も持続的な低下でもある。[7]オピオイドはいまや自動車事故や銃の暴力、ＨＩＶよりも上位の死亡理由となっている。

　多くの人びとにとって、オピオイドの使用は進行中の社会的分極化から逃避するひとつの方法である。数十年に及ぶ脱産業化と賃金の停滞、ヘルスケアへのアクセスの低下、組合の弱体化は、二〇〇八年の経済危機のあとで頂点に達した。人びとは労働現場での怪我やうつ病、治療を受けていない健康上の複数の問題にどうにか対処するため、処方されたこの鎮痛剤を用いてきた。ある公衆衛生調査の報告によれば、オピオイド〔の使用〕とは「身体的精神的なトラウマ、過酷な不自由、孤独、希望のなさなどからの逃避」なのである。全米経済研究所による二〇一七年の調査では、失業率が一パーセント上昇するごとに、緊急治療室の患者が七パーセント増加し、オピオイド関連の死亡率は三・六パーセント上昇するという。最近、ある二人の経済学者は、このような命の剝奪状況を「絶望死」という新たな造語で言い表した。▼8

　資本主義と労働者階級の生、その双方が危機に瀕する最中において、反乱的な運動はドラッグ依存の問題に取り組まなければならない。今日わたしたちに必要な解放の実践とは、ドラッグユーザーたちの基本的な尊厳とその潜在的な革命的行為能力（レボリューショナリー・エージェンシー）を認め受け入れながら、対人関係におけるケアと精神的な病、個人における深刻で悲痛な状態にたいして、新たなアプローチを呼びかけることである。

　わたしたちに必要なコミュニズムの政治とは、社会的な地位や安定性を前提とするものでもなければ、無垢な貧者と無秩序で危険な者との間で世界を断ち切ってしまうような政治でもない。革命的な行動を通して押しつけられてきた孤独や消耗を拒否するとき、ジャンキーとその友たちは、労働の尊厳ではなくわたしたちの生に備わった無条件的な価値に基づくコミュニズムの方へと向かう。**わたしたちの革命的政治は、自分たちの内側にある、ひどく破壊された数多の部分を抱きとめなければならない。**その痛んだ部分からもっとも熱烈な革命的可能性が現れる。すべてを心から迎え入れるとともに、わたしたちがなんであれ——変人やクソッタレ、オカマ（ファゴット）やトラニー〔トランスジェンダーやトランスヴェスタイトへの蔑称〕、荒くれ者や惨めな落ちぶれ者、中毒者やイカれた奴らであれ——そのすべてを引き寄せるコミュニズムの政治が必要だ。必要なのは、ジャンキー・コミュニズムである。

訳註

▼1 黒人解放軍の活動家で、ラッパーの2Pacの継父でもあった。ピープルズ・デトックスでの活動以来鍼治療の普及にも尽力していたが、一九八六年以降現在に至るまで獄中生活を余儀なくされている。

▼2 パナマ出身のヤング・ローズの活動家であり、ピープルズ・デトックスではカウンセラーを務めていた。アルバがピープルズ・デトックスでの運動を回顧したインタビューに、https://mtlcounterinfo.org/lincoln-detox-center-interview-with-vicente-panama-alba/ がある。

▼3 ブラック・パンサー党のメンバーとしてピープルズ・デトックスをはじめ、様々なコミュニティの医療プログラムに従事した活動家。パンサー党の分裂を経験したのちには、ヤング・ローズに加入する。シルヴァーズの活動家としての経験を語ったインタビューに https://www.ncbi.nlm.nih.gov/pmc/articles/PMC5024401/ がある。

▼4 ピープルズ・デトックスでの鍼療法で中心的な役割を果たしていたが、プログラムにたいするニューヨーク市政の弾圧が強まっていた一九七四年十月、不審死を遂げる。

▼5 一九六九年、ニューヨーク市立大学の学生たちはマイノリティ向けの自由入学制導入を求めてストライキや占拠活動をおこない、翌年からの実施を実現させた。

▼6 ヒップホップの生みの親ともされるジャマイカ出身のDJであり、ブレイクビーツを発明したことでも知られる。

▼7 麻薬性鎮痛剤であり、パーデュー・ファーマ社製造のオキシコンチンなどが一九九〇年代後半以降に大量処方された結果、過剰摂取や依存症を引き起こし、数十万人単位の死者を出してきた。現在ではアメリカ各地で製薬会社を相手取った集団訴訟が起こされている。

▼8 アン・ケースとアンガス・ディートンによる共著 *Deaths of Despair and the Future of Capitalism* を指している。同書は『絶望死のアメリカ——資本主義がめざすべきもの』（松本裕訳、みすず書房、二〇二一）として翻訳されている。

それはどのように為されねばならないかもしれないか

How It Might Should Be Done
Idris Robinson
Translated by Iwasaburo KOHSO

イドリス・ロビンソン
高祖岩三郎 訳

ジョージ・フロイドの虐殺を契機とした北米における全土的蜂起はコロナ以降の政治を指し示す決定的な指標であり続けている。以下はその前線から発せられた重要な提言である。「最終的な目標は、アメリカを、コミューンの連合の集合的配置に向けて分解することです」。おそらくこれはこの地にも適用されるべき目標であり、コミュニズムの実践的な再定義とともに試行されるだろう。

——HAPAX

*

以下は二〇二〇年七月二十日、レッド・メイ（Red May）[1]で行われた講演を、イル・ウィル・エディションズ（Ill Will Editions）[2]が書き起こしたテクストである。

——イル・ウィル

*

わたしはこの講演を、昨夜起ったこと、シアトル市の労働者階級、そしてシアトル市の反乱者たちへの賛辞から始めたい。わたしは昨夜観察したことに大変感銘を受け、その抑揚感を共有するためにここにいます[3]。さらにこの折に、ギリシャの同志たちに、連帯の意を表明したく思います。二〇〇八年に当地でわたしに初めて蜂起を経験させてくれたのは、彼らだったからです。そこでわたしが学んだこと、経験したことは、全く異なった今日の社会的分脈でも、大変有意義なものです。加えて、最近ある同志が、警察の手で殺されています。その同志ヴァシリス・マゴスに「力の中で眠れ（rest in power）」という哀悼を捧げたい。

この講演の題については、若干、説明を要すると思います。これはニコライ・チェルヌイシェフスキー（一八二八－一八八九）が、帝政ロシアの刑務所で書いた小説から引いています。[4] それをレーニンが、一九〇二年のパンフレット『何をなすべきか?』で借用したわけです。[5] そこで彼は「われわれの運動にとって焦眉の問い」に答えたのです。前衛党を打ち建てるとは、何を意味するのか？　われわれはどのように意識を、前衛党から労働者階級に広げていくのか？　われわれはどのようにしてストライキを超えて、全面的な革命的政治闘争に移行するのか？　さらに二〇〇一年になってから、フランスの『ティクーン』誌に「どのようになすべきか?」という題の文章が現れました。[6] そこで彼らは、闘争の目的や主眼を述べるのではなく、その方法と技術に焦点を移行させようとしました。目的因を考える代わりに、われわれが導入するべき方法を考えたわけです。

わたしのここでの目論見は、それらに比してはるかに控えめなものです。文法的な構成としては「なければならないかもしれない」は、南部の方言からきています。わたしはそれによって題を、若干黒人化しようとしたのです。また真っ当な意味で、これらが仮説的な命題と提言だからでもあります。つまりわたしが今日主張することそれ自体が、全く間違っていてもかまわないのです。それが戦略についてのより深い議論を生み出すならば、それでいいのです。わたしが本当に獲得したいことは、この議論を公に開くことで、人々が望むように行動し、それを強化してゆくことです。それと同時に、わたしたちの対話が誠実であることを願っています。蜂起を後退させる冷笑主義や悲観主義や民主主義的道徳主義が蔓延しています。それらに対して、わたしは、時は今だと信じています。わたしたちは、これまでほとんど誰も経験したことがない規模の反乱を経験しています。ギリシャと比較してさえ、事態はより進んでいます。ギリシャの反乱にはなかった規模の殉死者を出しています。この事態に対応する戦略的思考と反省の時がきていると信じる所以です。

勿論、地球上で最も反革命的な場所であるアメリカで、こうしたことを言っているのは、奇妙にも感じます。それでもなお、わたしたちは心を引き締めて、これらの問いを真面目に考えねばなりません。これらに賭けられているものの次元は極めて高まっていて、それらについて真摯に考える時がきているのです。

1　戦闘的な反乱が実際に国中で起こりました。革新派の鎮圧勢力は、この出来事を否認し解体しようとしています。

自明なものが、常に自明に見えるとは限らないということです。

わたしたち皆がそれを観ました。ジョージ・フロイドの殺人の後、起こったことを、わたしたち皆が観ました。そこで起こったことは、この上なく暴力的で破壊的な反乱でした。それはアメリカにおいて、過去四十年も五十年もなかった現象でした。このような規模の何かを経験した者は、ほとんどいません。ミネアポリスでは、警察署が直ちに燃やされ、続いてニューヨーク、アトランタ、オークランド、シアトルなどの全都市が炎上しました。この事態は、すぐさまマーティン・ルーサー・キングの暗殺後の暴動と比較されました。しかしわたしが思うに、一九六八年より二〇二〇年の今回の方が激しく、その上まだ収束してはいません。

それにもかかわらず、改良主義者たちは、あつかましくも、このことが全く起こっていなかったと主張しています。彼らはそれが起こっていなかったかのように、燃える警察車両を消滅させ、燃え上がる警察署を記憶から消し去ろうとしています。幾度も幾度も、同じ筋書きが聞こえてきます。ニュース番組に誰かが現れ、政治運動家が講演し、皆一様に「抗議行動は平和的で、非暴力的だった。彼らは法と秩序の範囲内で行動していた」と言いつのります。でもちょっと待って、セントルイスで警官が撃たれたのは、法と秩序の範囲内ではないでしょう。彼らは、なんとかこの出来事を消滅させようとしているのです。いったい警察署が焼かれることが市民的作法だというような惑星に、われわれは住んでいるとでもいうのでしょうか。

この妄想は、一考に値するものだと思われます。これは究極的には、妄想以上の何かなのです。それは、この夏起こってきたことについて喋りたがる、すべての進歩的自由主義者を、実質的に統一している姿勢なのです。バイデン支持の民主党員から、「フォックス・ニュース」とは一線を画すすべてのメジャーなメディアから、ブラック・ライヴズ・マターを名乗る人々まで、これらのグループが共に推進する目論見は、蜂起は起こっていないという主張を広めることなのです。わたしは、どこかのコンサルタント会社が、これらの抗議行動が、秩序にかなったものであるということを、幾多の方法を駆使して証明するための書類を読んだことさえあります。▼7

それでも、彼らがどのような資料や統計をでっち上げようとも、アメリカの幾多の都市で警察車両が燃やされた事実は、消しようがない事実です。それでは何故、革新／リベラル派は、この蜂起あるいはこの反乱を抹消するために、ここまで苦労をしなければならないのでしょうか？　それに対して何故、法と秩序を防衛するための最も暴力的な人々——たとえば検事総長ウイリアム・バー——が、蜂起が起こったことを認知する唯一の声なのでしょうか？　わたしたちは、このことを考えてみなければならなりません。

ここで問われているのは、一時的な理性の喪失などではありません。それは否認の戦略、つまり改革と呼ばれる鎮圧の戦略以外の何物でもないのです。

自由主義者たちも、無意識的には、蜂起が起こったことを認知しています。彼らは、昨日シアトルの巷で割られた窓ガラスのことを無視することはできません。それでも彼らは、わたしたちにとって大いに意味があり、さらに強化したいこれらの出来事の意義を貶めたいのです。彼らは、これらを再強調し再認知しようとしていますが、あくまでも別の方向に向けてなのです。究極的に、彼らが望んでいるのは、反乱が開いた可能性を封じて、わたしたちがこの蜂起をさらに推し進めるのを思いとどまらせることです。あらゆる民主／自由／改良主義者たちについて言えることは、彼らが目指しているのは、この息吹を借用して、事態を変えること、ただしほんの少しだけ変えること、つまり何も変えないことなのです。

ここには道徳的な作用があって、それが深い倫理的問題を提示しています。この鎮圧勢力は、黒人の死を管理し利用するために制度が見つけた、もう一つの方法以上の何ものでもないということです。この蜂起の間に、幾人もの黒人の若者／子どもたちが殉死しているのですが、活動家たち、「目覚めた」ジャーナリストたち、様々なタイプの革新的政治家たち、そしていわゆるブラック・ライヴズ・マターの活動家たちさえも、彼らの死から利得を受けていること（これについては以下で触れます）を思い起こさねばなりません。これはアメリカ社会において、継承され続けている筋書きであって、わたしたちがなんとかしない限り、なくなることはないものなのです。

　この出来事を否認することによって、彼らは路上において開示された革命的真実を、曖昧にしようとしています。彼らはわたしたちが導入した現在時を抹消したいのです。彼らは権力機構を保存するために、表面的な痛み止めのための調整案を示しつつ、わたしたちのエネルギーを吸い取ろうとしているのです。アメリカの歴史は、これまで常に人種的関係を改良する試みの歴史でした。彼らが今になってもそれを正しくやっていないということは、それをやり遂げることは永遠にないということです。

　彼らが何をしようと、どのような小さい変化を加えようと、黒人を蹂躙し殺害するという抑えることのできない衝動は、受け継がれてゆくでしょう。こうした微小変化から利得を受ける誰もが、この殺人の共犯者です。この反乱が孕む革命的軌道を妨害するなら、あなたの手もまた血で汚れています。この機構と共犯関係を保つ誰もが、敵以外の何者でもないのです。

　それに比べて、右翼はこの出来事に対して反対方向から対応しています。われわれ革命派以外では、彼らだけが反乱が起こったことを認知する声になっています。ウイリアム・バーが言うことには、注目すべき正直さがあります。それを以下のように考えてみましょう。彼がこの蜂起を、力によって押しつぶし、いずれ封じ込めようと考えている以上、彼はまずそれが起こったことを認知せねばなりません。この意味で、トランプの言葉にも正直さがあります。トランプと彼に従う「フォックスニュース」の面々など、「法と秩序」を主張するすべての者は、まさに彼らが蜂起を押しつぶしたいために、その実在を認める以外にないのです。ちょうど今日、トランプはニュースで、連邦軍の突撃隊を、ポートランドだけではなく、ニューヨーク、フィラデルフィア、シカゴにも導入することを宣言しました。▼8 この決定を正当化するために、彼は蜂起が実際に起こっていることを認知せざるをえません。これらが、わたしたちの敵の分裂した二面、わたしたちが今日対面している国家のヤヌス的顔なのです。

加えてこの反乱は、リベラル派にとって、警察を廃棄し破壊する代わりに、「出資取り消しすること（defund）」が、何を意味しているのかを示しています。警察力を保持しつつ、いくつもの小改革とつぎ当てを行使するので充分である、単に縮小したり改良することが可能であると考えている人には、現在ポートランドで起こっていることが、その結末として予示されています。それがリベラル派にとっての解決なのです。それに対して、変化が本当に起こったことを認知し、それを激化させようとしている者は、むしろファシストの軌跡と政治に対抗的に連動しています。後者は法、秩序、白人優位性という不変、永続、超越的理念を夢想し、防衛する人々です。こうした理想から逸脱する何物をも、ファシスト的秩序は消滅させようとします。このためにこそ、それはリベラル派が推進する諸改革を拒絶しようとするのです。たとえば、トランプが軍事基地の名称を変えることを、ここまで嫌悪するのはこのためです。彼が代表する権力にとっては、名称問題そのものはどうでもよく、そのような微小変化に耐えることができず、むしろ出来事そのものを潰し、なきものにしたいということです。

この国家のファシスト的部分に対応する方法は一つだけです。それは暴力をもって機能しています。だからわたしたちは、より強力な暴力をもって対抗する以外ありません。それに対して、自らの目的性に合致させるために出来事を否定しようとする改良派に関しては、わたしたちはより鋭利に対応する必要があります。わたしたちはマキャベリの狐のように、狡猾に振舞わねばなりません。誠実さが、彼らの行動様式ではないからです。彼らは、常にわたしたちの目前で起こっていることを否定しようとします。だから彼らに対応するには、偽装と転覆が必要です。それによって彼らを二重に惑わさねばなりません。

これら国家の二つの側面に関して、わたしはどちらかが他方より悪質だとは見做しません。それらはわたしたちが対抗し、最終的に打倒すべき二重性なのです。

2　この多人種的反乱は、黒人の前衛に先導されて、慣習化された人種の分離を自発的に超克することに成功しました。それを捕獲しようとする動きは、その分離の線を引き直し、それらの境界を警備しようと試みています。

第一に、かつてのアフリカ人奴隷と彼らの祖先こそが、この国のあらゆる分野の前衛でした。このアメリカという不毛の地には、われわれのそれの他に文化はありません。クラシック音楽はなく、その代わりにジャズがありますが、それはわれわれの発明です。それ以外に、アメリカが世界にもたらすものは何もありませんでした。

わたしはここで、「前衛」という言葉を、特異な意味で使っています。そこには指導者はいません。この反乱に指導者はいないのです。わたしたち皆がそれを先導し、準備し、開始する前衛だったのです。それに続いたのは、広範な多人種的蜂起でした。改革主義者は、力の限りこの真実を消そうとしました。巷に出ていた人は皆、そこにあらゆる種類の人々がいたことを知っています。異なった身体、異なった形、異なったジェンダーが、共に巷に溢れていました。

ことに企業や大学といった環境で、どのように人種差別をなくすか、多くの議論が交わされてきました。だが、わたしたちは、ジョージ・フロイド殺害以後、最初の数週間の路上で、どのように人種差別をなくしたらいいのか、まさにそれを観察したのです。

革命の墓掘人や吸血鬼が現れ、人種の分離を再強調し新秩序を押しつけ始めたのは、蜂起が遅滞し疲弊してからのことでした。この最も目立たない仕草は、活動家たち自身のそれでした。わたしたちの最悪の敵は、わたしたちの最も近くにいるのです。以下のような馬鹿馬鹿しいデモに行ったことがあるでしょうか？「白人が先頭に、黒人は真ん中に」——こうした区分けは、同じ人種の線引きを、より洗練された形で確立し直す方法でしかありません。わたしたちが目指すべきなのは、最初の日々に観たこと、つまりそれらの境界が消滅し始める事態なのです。

人種の分離線が再導入された最も破滅的な例としては、レイシャード・ブルックスの長年の相方ナタリー・ホワイトが受けた最も露骨な人種的検閲でした。ホワイトは、彼女の亡くなった相方にちなんだアトランタにおける抗議行動のために、いわゆる「目覚めたツイッター活動家たち」に呼び出されました。その後、彼らは、レイシャードが殺害されたウェンディーズの放火に関して、彼女の共犯性を主張したのです。こうしたブルジョア的な罪と無罪の構築は、わたしたちに一切係わりのないことです。彼女が、この行動に関わっていたかいないかで、わたしは彼女を判断しません。それはわたしたちが決定することではありません。いずれにせよ、わたしたちは団結し立ち上がっているのです。それに対して、わたしは、この出来事に彼女を巻き込んだ、これらの「目覚めたツイッター活動家たち」、正義の代弁者を名乗る者たちの責任を問います。わたしはこれらの活動家たちだけを非難します。レイシャード・ブルックスも、墓場から彼らを非難しているでしょう。

秩序は、人々の集合を整然と区分けします。そうした集合体の秩序づけは、看守や警察官たちの特権なのです。ジョン・ブラウンの例を思い起こしましょう。彼は、彼の黒人たちとのつき合いが許容できないという理由で、同志や友人たちから批判されていました。あの時代の彼の黒人たちとの関わり合いを考えると、彼がひたすら黒人たちを人間として扱っていたことで非難されているようです。人種の壁を超えて人間として出会う時、わたしたちはいつも非難されるのです。ことさら最も進歩した鎮圧の側から非難されるのです。ジョン・ブラウンは、ことさら彼の戦闘的な戦術について批判されてきました。フレデリック・ダグラスは、彼の蜂起志向を最も声高く批判した者の一人でした。ダグラスの方が後続者でしたが、歴史はブラウンが正しかったことを証明しています。奴隷制を廃棄するただ一つの方途は、暴力的な蜂起だった、ということです。歴史は現在、彼の名誉をある程度、挽回しています。しかしわたしが皆で一緒に考えてみたいのは、もしジョン・ブラウンが生きていたら、彼はどう振る舞っているだろう？ということです。ジョン・ブラウンは、この壁を超えたことで、ナタリー・ホワイトと共に、刑務所に入っているでしょう。

3 白人優先主義の病んだリビドー的本性に目をつぶることで、アイデンティティポリティクス、インターセクショナリティ、そして社会的特権に関する言説こそが、この警察機構の最も洗練された部門を担っています。

わたしたちは、皆ある時点でそれと出会っています。ことに政治的なものに関わってきたならば。わたしたちは皆、アイデンティティポリティクスなるものを知っています。この「白人の特権」についての議論、いわゆる「インターセクショナリティ」なるもの。これらはすべて、わたしたちが超克しようとしている人種の分断を強化するだけなのです。それに有効性や目的があるなら、この蜂起が現時点で、すでにそれらを乗り越えています。これらの思考について、一つずつ考えてみましょう。

「特権」――これが純粋に心理的な概念となったことを、わたしたちは知っています。認知しています。あるいは認知せねばなりません。白人の特権という思想には長い歴史があります。それはW・E・B・デュボイスに、テオドア・アレンに、ノエル・イグナティエフに、ハリー・ヘイウッドに遡ります。これらの思想家それぞれにとって重要だったのは、白人労働者に黒人労働者と共に闘うことを促すための理論の構築でした。アメリカ政治の特殊性がはらむ紆余曲折の中で、この思想は心理的なもの、つまり白人に自分たちの罪責感を逆に誇りに思わせる方途となったのです。たとえば、ペギー・マッキントッシュの白人特権に関する極めて重要なテクストを見ると、彼女はこれについて「口を閉ざしながら噛むことができること」と表現しています。わたしは自分の口を閉じてまで、ものを噛みたいとは思いません。▼[9]

インターセクショナリティについては、レッド・メイの前回の講演で十分話したので、細部には言及しませんが、ジョン・クレッグとわたしは、それが依拠している諸前提が、経験的に間違っていることを明らかにしようとしたことがあります。▼[10] それに関する記録が示しているのは、たとえば黒人女性について言えば、看守になる者のほうが、囚人になる者より多いということです。だがこれは、黒人女性の闘争と苦境を疑うことではなく、理論的構築としてのインターセクショナリティの限界を示しているのです。奇妙なことに、事実として、白人女性の方が、黒人女性よりも刑務所収監率は高いのです。黒人男性については、多数が刑務所に留まり続けています。

インターセクショナリティが、かつて試みたことが何であれ、それはもはや実行可能ではなく、指標として有効ではないのです。レッド・メイの講演において、わたしは黒人フェミニズムの起源に戻ることを提案しました。わたしたちは、黒人フェミニストの闘争を、権力機構がそれらに及ぼしている抑圧を超えて理解するカテゴリーを必要としているのです。わたしはトニ・ケイド・バンバラの『*The Black Woman*』（一九七〇）という本の、素晴らしい序文を引用しました。そこで彼女は、「黒人女性」とは何かということについて定義することを拒絶しています。彼女は、黒人女性が二つの抑圧の「境界面（インターセクション）」であるとは言いません。黒人女性が、二つの異なった機構の周縁にいるとは言いません。彼女が主張しているのは、黒人女性とは、彼女らの革命的な活動を通してのみ理解されるであろう開かれた可能性である、ということです。制度的弾圧に関する言説としてのインターセクショナリティの代わりに、わたしたちに必要なのは、闘争の言説としての黒人フェミニズムという思想を回帰させることです。

　黒人女性とは何か、誰か、という定義を開くことによって、トニ・ケイド・バンバラが最終的に言っているのは、黒人女性は、彼女らに押しつけられるどのようなアイデンティティによっても規定されえないということです。彼女らはそれら以上のものなのです。加えて、この国における黒人民衆の歴史を見ると、われわれは常にわれわれに掲げられるもの以上であると言えるでしょう。

　アイデンティティポリティクス、インターセクショナリティ、そして社会的特権の言説――これらはすべて警察行為の異なった様相です。

　それ以上に、これらの言説のどれもが、この国における人種を下から支えている悪質で恐るべきリビドー的政治を無視しています。ジェームス・ボールドウィンのような勇気ある人がこれに言及していますが、それ以後、誰もがそれを繰り返すことを恐れているのです。彼の画期的な短編小説「Going to Meet the Man」[11]を読むと、この国における人種差別の力学が正確に理解できます。簡単にこの筋書きをまとめると、それは白人異性愛者カップルの寝室から始まります。その白人男性は性的不能に悩んでいます。どのようにしてこれを克服したらいいのか？　彼は黒人リンチの現場に連れていかれた幼年時を思い起こします。そのリンチにおいて、死体は単に切り刻まれていたのではなく、性的に蹂躙されていたのです。彼は男性器を手渡されました。そのことを思い出すことで初めて、彼は勃起することに成功するのです。

　これはきつい話で、誰もこんなことを話したがりません。しかしこれこそ、われわれが挑戦しなければならない人種差別の核なのです。結局、誰も人種問題のこの側面に触れたがらないのは、わたしたち皆がそれに巻き込まれているからです。白人リベラルは明らかに、黒人殺害ヴィデオに興奮しています。黒人リベラルが、自分たちのキャリアのために黒人殺害ヴィデオを広めていることは、より明白です。わたしたちが人種差別の中で機能させているこのリビドー的衝動を問題にしないかぎり、アフマド・アーベリーが何故、あのような方法で殺されなければならなかったのか、説明しえないでしょう。これは警察とは何の関係もありません。それはアメリカ社会を動かしている衝動そのものと直に関わっているのです。

4　この反乱は、どんなに精巧な社会学的分類にも収まりません。それは、あらゆる分類を超過することによって、アメリカという荒地を結合するあらゆる拘束から自らを切り離す、排除された残滓なのです。したがって、この闘いの戦列は、この反乱の最初の数週間に出現し、革命的企画の完成において消散するであろう、その動きと発展の形態によってのみ規定されうるのです。

はじめに述べたように、あらゆるタイプの人々がこの反乱に参加していました。このことは、そこに参加した誰もが認知していることです。そこにいた人々をまとめるカテゴリーはないと言ってもいいでしょう。わたしたちが言える最も妥当なことは、そこにいたのは、内在化されつつ除外されている者たち、あるいは、ここに属さず、こことどのような関係も持ちたがらないアメリカの部分だということです。この趨勢は、それが現体制の外部性としてそれに対抗している動きによってのみ把握することができるもの、それが国家／資本／アメリカ社会に対抗している軌跡をなぞることによってのみ見えてくるものなのです。わたしたちが昨夜観察したものよりさらに恐ろしく、さらに強力な何かを創出するために、この自発的な組織を深め強化するのは、われわれの他にはありません。それはアメリカ社会を真っ二つに割る力なのです。

5　いわゆる黒人指導者なるものは存在しないし、しえません。それは白人リベラルの想像の中にだけ宿るキメラなのです。

それはどこででも聞かれることです。わたしはこれをあらゆる都市で、あらゆる友人のテクストメッセージから聞いています。友人に電話して「ニューオリンズで何が起こったのか？」あるいは「シカゴで何が起こっているのか？」と聞いたとします。そこで暴動が起こっていて、皆が慌ただしくしていると彼らが答える間は、黒人指導者のことなど何も聞こえてきません。それに対して、事態が停滞するやいなや、黒人指導者の名前しか聞こえてこないのです。

　端的に言って、わたしは生まれてこのかた黒人指導者なるものを見たことがありません。そんなものは存在しないからです。いるとすれば、それはマルチンやマルコムのような死者だけなのです。存在価値があればあるだけ、彼らは殺害されているのです。黒人指導者が存在するならば、彼らはムミヤやサンディアタと一緒に刑務所にいるでしょう。黒人指導者が存在するならば、彼らはアサータと一緒に逃げているでしょう。

　黒人指導者について話したがる人々は、白人リベラルの他にはいません。黒人の指導者性とは白人リベラルの心が育む虚構であり、幻の他ではありません。それについて奇妙なことは、わたし自身が全人生の中で出会ってきた誰よりも、白人リベラルこそが黒人指導者に親しんでいるということです。あたかも黒人指導者性という電波が、直接彼らの頭に届いているかのようです。

　何故、古典的な黒人指導者なるものがもはや存在しないのか、その理由が提起されています。幾多の新社会学的研究が提唱している（ニューヨークタイムズにこれに関する記事がありました）[12]一つの議論は――過去に見られたような影響力のある指導者は、確固とした中間層の存在を必要としましたが、過去四十年の記録を見ると、黒人の中間層は恒常的な危機に見舞われてきた、というものです。真面目に考えて、その状態が続くことを願うばかりですが、黒人中間層とは何かを定義するのは大変難しいのです。もしそれを確固として存在する集団とみなすならば、そしてその集団を定義することができるならば、それは白人共同体にのみ存在する類型の他にはありません。わたしのニューヨークにおける経験から個人的に語るなら、自分が育った環境において、黒人中間層の人間に、あるいは彼の言葉遣いや冗談に出会ったことなど一度もなかったと言えます。だがそのことさえ、もはや問題にはならないのです。

　何故、白人リベラルは、幻想の中で、自分たちのために黒人指導者をでっち上げねばならないのでしょうか？　最終的に、それは白人が私的財産を愛しているからです。私的所有物は、アメリカ的生活において特権的な地位にあります。それは聖性を孕んでいるのです。窓ガラスが割れ始める時は常に、白人リベラルから黒人指導者なる者にお呼びがかかるのです。多くの歴史家が確認し議論し始めているように、[13] アメリカにおいて私的財産が聖性を孕んでいることには、大変切実な理由があるのです。歴史を通じて、アメリカにおける最も重要な財産は、手枷足枷をはめられた人間財産だったのです。わたしたちはこの議論をさらに武装し、次のように言わねばなりません。私的財産が保護される時は常に、白人中心主義のために保護されることなのだと。もし私的所有が、真に、生と自由と幸福の追求という三項の中の幸福の追求のためのものならば、その幸福と私的所有の存在は、黒人の生と黒人の幸福の否定によって約束されています。だからこそ私的財産の保護は、わたしたちが明確に攻撃の対象にせねばならないものなのです。

6　現今の危機は、冷戦以降のアメリカ政治の二面性を引き継ぐ矛盾からきています。それらは帝国国家の主権とグローバル化する生政治的治安という二つの要請なのです。その結果、首都中心圏は、かつて植民地の周縁に縫い合わされていた、ある種の混沌と不安定を経験し始めました。

これらの力学が、今日われわれが生きている状況、そしてことさら過去二、三カ月の間、われわれが確実に経験してきた状況を規定しています。

一方で、わたしたちは、国家主権を、つまり古典的な国家の観念を持っています。シュミットにしたがって、さらにアガンベンにしたがって言うならば、国家にとってその逆説的な基盤こそ、それが機能する仕方にとって、必要なものである、ということです。国家を定義するならば、国家は己を基礎づける上で、超法規的かつ超司法的方途を導入せねばなりません。国家が己を基礎づける時は常に、それが創造しようとする法の外に出なければならない、ということです。古典的に生起してきたことであり、われわれがアメリカにおいて歴史的に経験してきたこととして、国家は、危機に直面する時は常に、自らを再構築する秩序を創出するために、例外状態を強要せねばならない、ということです。

たとえばわたしたちが南北戦争、二度の赤狩り、そして最近の対テロ戦争で観察したように、政府の行政機関は、その正規の法的枠組みを超えながら機能し続けるのです。

わたしたちは今日、ことにトランプに関してこれを観察しています。トランプは、彼の行政権を私用／悪用しています。というより、彼はそれらがそのために作られたそもそもの用法で使っているのです。そもそも司法のために準備された領域が、今やトランプ自身に乗っ取られたということです。

合衆国が自らを確固たるものとして表現するのは、外国との戦争においてです。わたしたちが留意しなければならないのは、これについては後で再び触れますが——さらにどういう訳かこれについては過去二、三十年間、軽視されてきたのですが——アメリカは地球上における唯一の帝国であり、それを世界中で誇示している、ということです。ソ連の崩壊と冷戦の終焉の後で、アメリカは地球全体で唯一の警察あるいは突撃隊になったのです。これが統治の一面です。

これをもう一つの統治の形態、つまり生政治的統制あるいは生政治的保安と比較する必要があります。後者は、古典的な国家による法の強制とは異なっています。むしろそれは、生の管理をになうものです。国家が一方で殺人を犯すならば、他方で生政治は、あくまでも己の目的のために、生を保護することに関与しています。

生政治的管理の最近の体制は、いわゆる「保安」です。「保安」がなすことは、管理しやすい形で、出来事を生起させることです。これらの出来事は多種にわたります。それは今日わたしたちが経験しているコロナ感染のようなパンデミックであり、飢饉であり、暴風カトリーナのような災害であり、まさにわたしたちが今育てようとしている蜂起でもありえます。国家がこうした折に為すことは、統計的な計算を駆使して、それらの出来事が一定の範囲内に留まり、受け入れ可能なあり方を見出すことです。

例外状況に見られる国家の逆説に加えて、今まさにわれわれが経験している、この奇妙な生政治的な防災体制にも逆説があります。この逆説は、通常以下のように進行します。パンデミックや飢饉などの災害の後には、保安装置の内部で、次の災害に備える動きが現れます。二〇〇〇年代のSARSの後で、次に来たるべきパンデミックに備える動きが起こりました。この予備的な準備は、次の病気が現れないことが明らかになると、当面の問題からは二の次にされてしまいます。高名な医学系人類学者アンドリュー・ラコフが、わたしたちが最近観察した、この逆説に注意を喚起していました。パンデミック対策は議論されていましたが、それが二の次になったために、COVID-19が現れた時、わたしたちはそれに対応しえませんでした。つまりわたしたちは二重の逆説に直面しているのです。一つ目は自らを基礎づけるために自らの外に出ること、そして二つ目は、常に準備不十分を醸成する防災体制の循環です。

かくして古典的な形態の国家、国民国家、そしてよりグローバルな治安操作には、法的側面と統計的側面があります。そしてわたしの考えでは、これら二つの指標は互いにぶつかり合って、ある種の危機に陥っています。

司法的な手続きそのものが、恒常的な危機に陥っています。トランプは何一つまともにすることができません。彼が何をしても悪影響を及ぼし、常に最悪の結果をもたらします。トランプと彼の狂った頭脳が、アナーキーを引き起こしているのです[14]。もちろん、彼はそうは思っていません。この混沌が常態化した時に、それを好機としえるかどうかはわれわれ次第なのです。わたしが言いたいのは、わたしたちは、国家が自らに課しているこの混沌を、生きる必要があるということです。

リベラルや改革主義者と違って、わたしたちは、法と秩序を再肯定し、再強化することを目指してはいません。わたしたちはアメリカを大きな「セーフスペース」に変えることを目指していません。わたしたちは混沌と無秩序を、これまで以上に悪化させることを目指しているのです。

わたしたちは、革命家たちが常になしてきたことをしなければなりません。つまりわたしたちは、矛盾を耐えがたいものにせねばならないのです。

7　ハイチにおいて反乱奴隷が黄熱病の定期的発生を方法化したように、現在のコロナ感染を権力に対する武器に転化する、隠された抵抗的知性が存在します。

「架空の党」による最良の書物『われわれの友へ』[15]において、作者たちは災害対策についての「疫病管理予防センター(Centers for Disease Control and Prevention)」のパンフレットに触れています[16]。これはアメリカのティクーン派が通常触れない主題です。疫病管理予防センターは、災害対策を若者たちの関心や趣味に合わせるために、ゾンビーの終末的出現への対策を喚起しているのです。彼らの基本的議論は、ゾンビーの出現への準備が可能ならば、洪水や台風やパンデミック、あるいは蜂起に対してさえ防災が可能である、というものです。

この本において不可視委員会は、ゾンビーへの恐怖は、間違いなく、黒人労働者階級への恐怖につながる、長く人種化された歴史に宿っていると言っています。そして語られることがない、語られることを拒絶する、あるいは抑圧されている、この恐怖のもう一つの側面は、白人中産階級の自らの無価値性に関する偏執的執着（パラノイア）に宿っているのです。

ゾンビーの歴史を遡求してみると、その比喩形象（フィギュア）は、ハイチ革命の間に用いられていたヴードゥー信仰に現れています。ジャン・ゾンビーという人物がいたのですが、彼は奴隷所有者たちの殺害に参加したことから、この名前で知られるようになったのです。ことさらわたしたちの今日の志向性にとって意義深いと思われるのは、ハイチの反乱者たちが、ナポレオンの軍隊だろうと、より一般的な秩序党だろうと、彼らのかつての主人たちに対して、かつ軍隊に対して、黄熱病の感染を使って攻撃することができるとはっきり考えていたことです。反乱者たちは、黄熱病の感染が広がってゆくのを待っていたのです。彼らは、かつての奴隷所有者の軍隊が、パンデミックに飲み込まれることを知っていました。それに対して彼ら自身は、パンデミックに対する免疫をすでに培っていることを認識していたのです。そこで彼らは、軍隊が黄熱病によって殺され始めるのを待って、ゲリラ攻撃を開始したのです。

わたしがここで主張したいのは、これと大変似たことです。わたしたちは皆、黒人やラテン系の人々が、比較にならないほど甚だしく、コロナウイルスに感染していることを知っています。これは医療問題です。しかし単なる医療／科学問題を超えて、政治的問題にもなっているのです。わたしたちは、パンデミックを単に恐れ、マスクや距離を強調する公衆衛生の言説、つまり衛生化された保安をめざすリベラル政治を拒絶せねばなりません。わたしは、現在これがまさしく政治的問題であることを知っています。しかしその反面で、わたしはパンデミックが存在しない、あるいは単なる流感である、などと主張する右翼の陰謀論を防衛しているわけではありません。わたしがここで言いたいのは、パンデミックをわれわれの目的に役立て、われわれの敵に対する武器に転化するための、わたしたち自身の知性、反逆の知性を発展させようということです。

8　蜂起は、暴動の配置の中の厳密な調整を必要とするでしょう。それはどのような統制をも超えた、無秩序の逆説的な組織化です。したがって蜂起の問題は、社会的／技術的という双方の次元を含んでいるのです。

わたしが主張しているのは、無秩序の秩序という逆説です。たとえばラップグループのオーガナイズド・コンフュージョン（Organized Konfusion）を思い起こしてください。これを実現するには、戦術を徹底的に練磨せねばなりません。破壊する対象を、略奪する対象を、研究せねばなりません。どのような場合に、何故、一定の占拠が有効で、有効でないかを理解せねばなりません。自分たちが巷で実現する混沌を、戦略的に志向せねばなりません。

それに加えて、わたしたちは、これらの闘争と戦術を強化するために、新しい戦術と闘争と戦略の形態を案出する必要があります。わたしたちは、開発の嵐にさらされているすべての都市が直面している、強制立ち退きに対抗する、占拠や家賃ストを備えねばなりません。しかし同時に、わたしたちは防衛的闘争を超えて、より攻撃的な創造性と戦術を培わねばならないのです。実際、わたしがここで主張しているのは、暴動からストライキ、封鎖を含む、労働者の戦略の総体を駆使する必要性なのです。

しかしわれわれは、自分たちの戦術と戦略に関して、創造的でなければなりません。最近のツイッターのハッキングに見られるように、これらは本当に重要なことなのです。重要なことは、わたしたちがそれらの戦略と戦術を展開する上で、創造的であることなのです。

一九三七年五月初頭、バルセロナの電話局で起こった激しい衝突に匹敵するものは、今日において何でしょうか？　革命ロシアにおける反乱労働者が、かくも激しく戦ったペトログラードの鉄道に匹敵するのは、今日において何でしょうか？　わたしたちが巨大な国に生きていることは、極めて特異な問題なのです。わたしたちは、この距離を破壊しそれを自分たちの純粋な方法に転化する、創造的方法を編み出さねばなりません。

9　ボロボロになった帝国の断片を、さらに断片化することで、二度目のよりバルカン化した内戦という現前し続ける亡霊を物質化しましょう。

少なくともトランプが大統領になって以来、内戦の原型（アルケタイプ）が、この国全体を漂っています。これには歴史的な理由があります。南北戦争は、ある人々にとっては、この国が集合的に経験したもっとも外傷的な経験で、他の人々にとってはもっとも開放的な経験でした。だからそれは集合的な想像性の中で、継続的に想起される比喩形象になっています。しかしこれには構造的な理由もあると思われます。国家の根本的な操作は、どこにでもある内戦の脅威を回避することによって機能しています。国家なるものは、おおよそ内戦を封じ込め禁止するものなのです。この国が特殊なのは、わたしたちの内戦についての理解の仕方に結びついた、特異な解放の伝統なのです。

わたしはここでケネス・レクスロスの優れた自伝を引用したいと思います。そこで彼は、南北戦争に参加した過激な廃棄主義者（アボリショニスト）たちこそが、アメリカにおける社会主義的、アナキスト的、共産主義的労働運動の第一世代である子どもたちを産んだ、と述べています。▼17 しかしわたしは、最良の例は、デュボイスの古典『*Black Reconstruction*』▼18 だろうと思っています。奴隷制を最後に葬りさったのは、かつての奴隷たちによるプロレタリア的ゼネストだったということです。まさにこの解放的でありながら暴力的な内戦の伝統こそが、新しい文脈でその回帰を望まれているのです。もう一つの重要な先例は、ハリー・ヘイウッドの「ブラックベルト理論」です。アメリカ共産党中央委員会のメンバーだったヘイウッドは、アメリカ合衆国の革命は、南部における黒人の独立国家を含まねばならないと言っています。これはもはや有効ではないでしょう。しかし彼が把握し対処しようとしていたのは、単に巨大な国における革命の問題でした。

革命は、ここでわたしたちにとってひたすらスケールの問題として立ち上がってきます。だからこそ、わたしが思うに、ヘイウッドは、アメリカの分解を主張したのです。わたしたちは、ここまで巨大な産業化された近代国家における革命の先例を持っていません。だからわたしたちは、ユニークな問題に立ち向かっているのです。

それがどのようなものか、わたしは知りません。確かなことは、この国がすでに解体し分解し始めているということです。そしてそれをさらに破壊し分解して、もはや元に戻らないようにするのは、わたしたちの他にありません。

革命は、他のどこよりも、ここにおいて、分断という厄介な使命を孕んでいるのです。これについてもまた、わたしたちは特異な問題に直面しています。過去四十年間に、他の国々の内戦に出現したような醜く危険なナショナリズムを避けねばならないということです。わたしはユーゴスラビアやシリアで起こったことを望んでいるわけではありません。それでもなお、わたしたちは内戦を、解放に向かう趨勢として育てねばなりません。最終的な目標は、アメリカを、コミューンの連合の集合的配置に向けて分解することです。

10　この革命という企画の完成は、最終的には、わたしたちそれぞれが死者と被抑圧者に対して不可避的に負っている倫理的な責務なのです。

ナイーヴに聞こえるかもしれません。それでもわたしは、わたしたち皆が観察し、願わくば参加すらしたこの夏の暴動が、蜂起への、そして全面的な革命への扉を開いたと信じています。そこで開示された可能性はわたしの誤読なのかもしれません。それでもなお、現今の暴動に参加して、自分の実在の核の決定的な変革を経験しなかった人はいないでしょう。わたしにとって、そしてあなた方の多くにとって、今や革命が魂の深みに宿っていることを、そしてそれがわたしたちの射程そのものを、生に対する姿勢そのものを変えたことを知っています。蔓延しているすべての冷笑主義、すべての理性的自己利益、すべてのニヒリズム、典型的なアメリカ市民を形成しているすべてが、この蜂起と暴動によって、ゆっくりと摩滅しています。

このことがわたしたちに示しているのは、革命は真にわたしたちを超えたものである。真にここにいるわたしたちそれぞれを超えたものである、ということです。それは、アメリカ個人主義によって押しつけられたすべての境界を超克しています。それは、わたしたちに、自分たちを超えてすべてを見ることを強制し、アメリカが一世紀の間、帝国として世界を蹂躙し尽くしてきたことを認知させるのです。

そしてこの戦いは、生者のためだけではなく、死者のためでもあるのです。わたしたちは、一秒の自由さえ知らなかった数億人の奴隷に対して、革命を負っているのです。この暴動の間に死んだ幾多の殉教者たちに、わたしたちは革命の完成を捧げねばなりません。

パゾリーニが、アメリカの旅に関する随筆で書いています。彼がここで本当に感動したのは、今では誰も言わなくなっていますが、公民権運動を支えていた言葉、「われわれは全身全霊を闘争に捧げねばならない」だったのです[19]。

闘争の死者が、復讐を叫んでいます。そしてわたしたちは彼らの死の仇を打たねばなりません。ベンヤミンが言ったように、「敵が勝利するなら、死者さえもその敵に対して安全ではないだろう」[20]。今夜こそ、これらすべての落とし前をつけ、奴らの地球支配を終わらせ、死者たちを安息させる、最初の夜になるでしょう。

註

▼1 https://www.redmayseattle.org

▼2 https://illwilleditions.com

▼3 二〇二〇年七月十九日、シアトルの抗議者たちは、ビジネスを破壊し、店舗を略奪し、火を点けた（youtube.com/watch?v=67D8HZh4BOI）

▼4 Nikolay Gavrilovich Chernyshevsky, *A Vital Question: Or, What is to be Done?*（archive.org/details/cu31924096961036［ニコライ・ガヴリーロヴィチ・チェルヌイシェフスキー『何をなすべきか』］）

▼5 Vladimir Lenin, "What Is To Be Done?"（marxists.org/archive/lenin/works/1901/witbd［ウラジーミル・レーニン『何をなすべきか？』］）

▼6 Tiqqun, "How is it to be Done?"（voidnetwork.gr/2012/07/18/how-is-it-to-be-done-by-tiqqun［ティクーン「どうしたらいいか？」、『VOL』第四号、以文社、二〇〇九、二四二 - 二六二］）

▼7 "From coastal cities to rural towns, breadth of George Floyd protests – most peaceful – captured by data", *USA Today*, June 10 2020（usatoday.com/story/news/politics/2020/06/10/george-floyd-black-lives-matter-police-protests-widespread-peaceful/5325737002）
Interactive Map: Protests in wake of George Floyd killing touch all 50 states（ipsos.com/en-us/knowledge/society/Protests-in-the-wake-of-George-Floyd-killing-touch-all-50-states）

▼8 2020 deployment of federal forces in the United States（en.wikipedia.org/wiki/2020_deployment_of_federal_forces_in_the_United_States）

▼9 Peggy McIntosh, "White Privilege: Unpacking the Invisible Knapsack" (racialequitytools.org/resourcefiles/mcintosh.pdf)

▶10 Chris Chen, Idris Robinson, Iyko Day, John Clegg, Sarika Chandra, Shellyne Rodriguez, "Racial Capitalism & Disposable Populations in the Time of covid" (youtu.be/MHMeYtYHiKM)

▶11 James Baldwin,"Going To Meet the Man" (cristorey.net/uploaded/Academics/2019-2020/Summer_Reading/James_Baldwin_Going_To_Meet_the_Man.pdf)

▶12 "Extensive Data Shows Punishing Reach of Racism for Black Boys", *New York Times,* March 19 2018 (nytimes.com/interactive/2018/03/19/upshot/race-class-white-and-black-men.html)

▶13 John Clegg, "How Slavery Shaped American Capitalism" (jacobinmag.com/2019/08/how-slavery-shaped-american-capitalism)
Robin I. Einhorn, "Slavery" (cambridge.org/core/journals/enterprise-and-society/article/slavery/EAF172288A7718B082A074603D149A48)

▶14 Marten Bjork, "Phase Two – The Reproduction of This Life" (tillfallighet.org/tillfallighetsskrivande/phase-two-the-reproduction-of-this-life)

▶15 Invisible Committee, *To Our Friends* (theanarchistlibrary.org/library/the-invisible-committe-to-our-friends〔不可視委員会『われわれの友へ』ＨＡＰＡＸ訳、夜光社、二〇一五〔註16の「疾病管理センター」への言及は一五頁〕〕)

▶16 Zombie Preparedness (cdc.gov/cpr/zombie/index.htm)

▶17 Kenneth Rexroth, *An Autobiographical Novel* (bopsecrets.org/rexroth/autobio/index.htm)

▶18 W. E. B. DuBois, *Black Reconstruction* (webdubois.org/wdb-BlackReconst.html)

▶19 Pier Paolo Pasolini, *In Danger: A Pasolini Anthology*

▶20 Walter Benjamin, "On the Concept of History" (sfu.ca/~andrewf/CONCEPT2.html〔ヴァルター・ベンヤミン「歴史の概念について」〕)

以下は、〈https://illwill.com/weapons-and-ethics〉からの和訳である。これが発表されたのは昨二〇二〇年九月十八日で、若干の時が流れてはいるが、ジョージ・フロイド蜂起以後のアメリカにおける路上の現状が、日本ではいまだにあまり知られていないようなので、あえて訳出し、こうした問題機制に開かれている『HAPAX』誌に掲載を依頼した。ここで議論されている「銃器使用」の問題は――アメリカにおける反差別闘争が直面している状況とその行動形態を、もっぱら非暴力的で合法的なものとして表象したがるリベラルな諸メディアの傾向に反して――以後、アメリカにおける民衆闘争の現在/未来を規定する物質的条件となってしまった。この経験を、抗議者側の視点からより細かく報告した文章として、関心がある各位は、〈https://hardcrackers.com/eye-storm-report-kenosha/〉を参照されたし。――訳者付記

*

武器と倫理

Weapons and Ethics

Adrian Wohlleben
Translated by Iwasaburo KOHSO

エイドリアン・ウォーレベン
高祖岩三郎 訳

倫理的な問いは、武器についてではなく、そのどれかに関わっている。

平和的な蜂起といったものは存在しない。これはアメリカなのだ。社会的な抗争がつづく中で、すべての側において、人々が武装しないという筋書きは考えられない。武器が必要かどうかは、開かれた問いだが、いずれにせよ、それは不可

避なのだ。ただし、友人たちがしばらく前に明記したように、「武装していることと武器を使用すること」の間には、重大な差異がある。アメリカの蜂起において、銃が不可避的な要素であるなら、問題は、その使用を不要なものとするためにあらゆる努力を払うことである。

警察によるジェイコブ・ブレイク銃撃につづいて起こったケノーシャの衝突は、この夏の蜂起に参加しそれを観察した人々にとって、武装／暴力にまつわる問いを前面に引き出した。「わたしたちの側」の銃の存在は、なんらかの形で危険性の穏和を意味するのか？　それは、それがなければありえないような、何かを可能にするのか？　それらの使用が、状況を開示し、人々の力能化に貢献すると、わたしたちは想像しえるのか？

ドイツにおける共産主義者蜂起の敗北直後に書かれた「暴力批判論」（一九二一）において、ウォルター・ベンヤミンは、暴力と「非暴力」、合法的な力と非合法的な力との間の不毛な対立を迂回し、その代わりにわたしたちの関心を、より決定的な暴力の様態と作法の中の差異に向けようと試みた。ベンヤミンにとって、直ちに神話や形而上学に回収されてしまう、暴力の「意図」あるいは目的を宙吊りにし、むしろその方法と使用を差異化することによって、わたしたちは、この問題を道具的あるいは技術的な領域から倫理的な領域に転換する。「この行為は何の目的に向けて行われるのか？」と問うかわりに、わたしたちは以下のように問わねばならない——この行為は内側ではどのようなものか？　それはわたしたちやわたしたちの周りの者たちにとって、何を為すのか？　それはわたしたちが、実存に関与する力を、どのように活性化し、あるいは制御するのか？　かくしてベンヤミンは、革命的暴力の問題を設定しなおすことに成功する——つまり、その国家暴力との差異は、それが捧げる「使命」あるいは課題に介在しているのでなく、まず何よりも、それが、わたしたちや他の者たちのためにつくりだす、世界との関係性にあるということだ。

この洞察が、今日の抵抗運動における暴力と武器の存在に、適応されねばならない。暴力は、「善」でも「悪」でもない。またそれは、それが役割を果たす「意図」あるいは「目的」によって、位置づけられるのでもない。（この意味で伝統は、われわれの役に立つような企画、模範あるいは使命をほとんど提供していない。）むしろ武器の種類、そしてその使用を問う方が有意義である。わたしたちの武器使用は、どのようにわたしたちの力の意味と限界を、わたしたちの背後で、規定しているのか？　この選択は、どのように、わたしたちの行動に参加しえると感じる者たちを感化し、構成しているのか？　そしてわたしたちが「勝っている」と考える状態に影響し、それを構成しているのか？　わたしたちは、どのようにこの選択を、自分たち自身で納得しているのか？　はっきりさせると、この問いは（ここでの主題である）銃器使用に限定されるものではなく――デモ、封鎖、占拠、反乱、略奪、相互扶助など――すべての戦術領域を包括している。長期の視点からすると、ここで問題になっているのは、内在的で生きられる過程としての革命そのものの意味を、われわれがどう考えるかという全体的視座である。反乱において使用されるあらゆる方法が、かかる意味での倫理的思考によって、判断されることになる。わたしたちは、今日、戦術に関する真摯な議論を必要としている――どの実践が、社会的亀裂を深化し拡張し、そのことで共産主義への真の可能性を開示しているのか？　どの行動が、反乱を、よりよく統治し管理すべき、特化された問題の閉域に封じ込めているのか？

銃器の選択と、それが含む可視性には、倫理がまとわりついている。たとえば、抗議者側の銃の存在を考える時、あからさまな所持と隠された所持を区別する必要がある。ライフルをあからさまに所持する左翼の民兵集団は、しばしば裁判所前に集う抗議者あるいは民衆を「保護」するためにそこにいると主張する。この理由でわたしたちは、彼らを、形式的あるいはイデオロギー的に、抗議者側あるいは「われわれの側」に与（くみ）していると考える。だが実際には、ケノーシャにおける群衆は、すでに、ベルトの下に拳銃を隠す形で、武装していたのだ。これら二つの集団は、武装の様態と方法において、またその保持を通した周りの群衆との関わり方において、質的に弁別される。

ライフルを持ち、防弾チョッキを着た者たちと違って、ベルトに短銃を隠し持っていた者たちは、より「社会的な」形式で、反乱に関与し続けることができる。言い換えると、それは――グラフィティを描く、裁判所の窓を壊す、警察に投石する、ダンプカーに火をつける、暴動を起こす、略奪するなど――そこに現れた誰にも可能な特化されない行動の形態となりえる。ほとんどの場合、群衆の中の隠された銃の所持者たちは――もし皆が銃撃されたら撃ち返すことを、周りの人々に知らせるほどの意味で――自分たちが武装していることを隠していないが、同時にそれを特権的に主張しない。銃の所持は、自分たちをその他の人々から区別する自己同一性あるいは「社会的機能」として扱われていない。ほとんどの場合、群れの中で、彼らと共に動いている者たちは、それが使用されるまで、彼らの銃を見ることはない――たとえばATMを撃ち、こじ開けたり、武装右翼カイル・リッテンハウスが発砲した時、少なくとも、十丁以上の拳銃が出現したことなど。

それに比べて――まさにこの意味で、ライフル銃の使用が、技術的なだけでなく、倫理的にもなるのだが――黒人中心のあるいはそこに同伴する武装民兵集団の銃器の使用は、それを特化する傾向があり、そのことが社会的閉鎖性の形態となっている。銃をあからさまに所持する左翼民兵は――たとえばケノーシャ裁判所前の第一日目に、群衆に向かって乗りつけたベアキャットとの対決中に見られたきわめて稀な例外もあるが――通常、デモ隊の端に留まり、それ以外の参加を控えている。他方で、もちろん人は、この遂行的な決定を――もし群衆が「保護」や防衛を必要としていると考えるならば――「社会的」機能として見ることもできる。それでもやはり、これは誤認のように思われる。なぜなら、抗議行動は、すでに武装しており、撃たれたら撃ち返すことに吝かではないのだから。そして同時に、これらの隠され所持された銃器は、その他の役割、実践、参加形態と合体しつつ運動してゆく。それらは、その他のどれとも同じように、攻撃し、防衛し、ケアしてゆく――コンクリート防御壁を壊し煉瓦を取りだす、警官隊を光線銃で攻撃する、ベアキャットの窓にペンキ爆弾を投げて移動不能にする、警察によって傷つけられたり、盲目状態にされた抗議者たちを助けだす、花火を投げるなど、諸々の行動と同じように。

武器の選択は、技術的なだけではなく、同時に倫理的である。社会的敵対性が増大している情勢下で、集団的防衛の必要性は、現存する社会的亀裂の否定しえない現実なのである。

われわれがこの問題をどう解決しようとするか、それが路上の社会的構成の可能性を左右してゆくだろう。武装暴力が、自らをその他の闘争形態から切り離せば離すほど、それは秘教的知識を要請する特化された技術として扱われるようになり、群衆の知恵や自信とは反目するようになるだろう。このことが、究極的には、この方法に通じていない人々を除外し、参加を躊躇させ、闘争の不活性化に帰結するだろう。

それに対して、わたしが隣で投石している者のベルトには銃があることを認知している間、この事実が、その他の形態の介入、参加、協業を抹消することはない。このことは、わたしたちが、武装している者としていない者を横切る実践の共通な存立平面を保持するうえで、決定的に重要である。それに比して、ライフルをあからさまに所持する民兵的スタイルは、ある種の戦術的独我論を作りだす危険性を孕んでいる。人々が、自分たちのデモにおける役割を「生きる銃」と信じれば信じるほど——共に立ち向かっている問題に対して銃撃以外の解決策を見いだす可能性をもった——群衆の集合的知性に参与する志向性を失ってゆく。これが、こうした人々と一緒に行進する時、あるいは彼らと共に警察と闘う時に感じる、妙な齟齬を説明している。つまり彼らは、群衆と流動的な関係を保つのでなく、進行している事態の部分というより、そこから離隔された、路上における第三あるいは第四勢力のように感じられる。彼らは、警察、抗議者、右翼民兵に加えられた、もう一つの問題、つまりそれ自身の論理を孕み、周りから接近不能な、もう一つの予期しえぬ要素として現れている。

「われわれの側」の銃器は、われわれに危険性からの穏和を与えているのか？　それがなければありえないことを可能にしているのか？

短銃あるいはライフルの存在がわれわれに与えるかもしれない「安心感」は——警察か右翼がわれわれを銃撃するという——すでに十分おぞましい筋書きを体現している。それはいずれにせよ、群衆の集合的な力を破壊する混乱に帰結しえるものである。われわれの側が武装しているという知識は、どれだけわれわれが、この可能性に関与することを助けるのか？　こうした筋書きにおいて——反撃がわれわれの側の犠牲者の増大に帰結しないという条件において——ファシストたちだけが発砲するのでないことはいいことかもしれない。

こうした状況の強度は、正直に言って、われわれが知り理解している行為や戦術の領域をはるかに凌いでいて、簡単に把握しようがない。だから現時点で、こうした状況を肯定的なものに結びつけることには、あるいは銃器の存在が、その出来事性の外部状況において、なんらかの可能性を開くと主張することには、ほとんど意味がない。

究極的には、わたしたちの側に銃器があることの唯一の貢献は――それが反撃の可能性を導入することによって――虐殺を減速する可能性にある。とはいえ、流血は単なる流血であり、それ自身の中に、倫理的あるいは社会的に寿ぐべきものは何もない。

――二〇二〇年九月

孤独へと到達するか」／混世博戯党「道徳の系譜」／world's forgotten boy「地獄あるいはブランキの宇宙へと向かう断章」／ダニエル・コルソン「ニーチェと絶対自由主義的労働者運動」五井健太郎＋HAPAX訳／山本さつき「食人としての「ひかりごけ」」／白石嘉治「ニーチェの喃語を聴きとる――『菊とギロチン』によせて」 ISBN978-4-906944-16-3　本体1,500円　2018年11月刊

HAPAX 11――闘争の言説

釜ヶ崎コミューン「釜ヶ崎の外の友人たちへ――新たな無産者たちの共生の試みのために」／釜ヶ崎コミューン「釜ヶ崎センター占拠の二四日間とその後」／笠木丈「共に居ることの曖昧な厚み――京都大学当局による吉田寮退去通告に抗して」／霊長類同盟「砕かれた「きずな」のために」／ロナ・ロリマー「イエローベスト・ダイアリー」world's forgotten boy訳／白石嘉治「ジレ・ジョーヌについての覚え書き」／ベラ・ブラヴォ「リスト」HAPAX訳／二人のギリシャのアナキスト「『ギリシャ刑務所からの手記』のために」HAPAX訳／アリエル・イスラ＋高祖岩三郎「傷だらけのアナキズム」／李珍景インタビュー「コミューンは外部である――存在の闇と離脱の政治学」／村澤真保呂インタビュー「都市のエレメントを破壊する――アナロギアと自然のアナキズム」／小泉義之「日本イデオローグ批判」／彫真悟「すべてを肯定に変える」／気象観測協会「日常と革命を短絡させるためのノート、あるいはわれわれは何と闘うのか、何を闘うのか」

ISBN978-4-906944-18-7　本体1,500円　2019年7月刊

HAPAX 12――香港、ファシズム

KID「香港から放たれた矢／香港蜂起の教え」／Shiu「香港2019――鏡の国の大衆運動あるいは漂移する遊行」／「蜂起の三ヶ月（CRIMETHINC）」／KID「龍脈のピクニック」／酒井隆史インタビュー「ネオリベラリズムと反復の地獄――ノンセクト的戦争機械のために」／友常勉「ファシズム5.0」／混世博戯党「幼年期への退却」／鼠研究会「「文明の死」とファシズム」／原智広「セリーヌとファシズム――戦いのあとの風景」／ウルトラプルースト「偽ファシズム、あるいは「神化」の失敗について」／山本さつき「よどみと流れ」／彫真悟「祈りのアナーキー」／守中高明「アナーキー原理としての「他力」」 ISBN978-4-906944-19-4　本体1500円　2020年3月刊

HAPAX 13――パンデミック

「ウイルスの独白」HAPAX訳／フランコ・ベラルディ（ビフォ）「破綻を超えて――その後の可能性について、3つの沈思黙考」櫻田和也訳／ラウル・ヴァネーゲム「コロナウイルス」五井健太郎／「ウイルスと、国家の日和見主義に抗して」影丸7号訳／江川隆男インタビュー「哲学とは何か――パンデミックと来るべき民衆に向けて」／村澤真保呂「狐、外来生物、ウイルス――感染症と人新世」／高祖岩三郎「危機と破局の相乗効果――マスク機械が結合するもの」／李珍景「コロナウイルスと衛生権力の新類型――韓国の衛生 - 主体体制とリアルタイム追跡モデル」影本剛訳／「接触追跡アプリに関する二つのテクスト」五井健太郎訳／アンソニー・アレッサンドリーニ「ボイコット・イン・パンデミック――コロナウイルスでUCSCのストライキのなにが変わったのか」R/K訳／「ミネアポリス　この戦いにはいま、二つの陣営がある――COVID-19の時代にとって、この暴動はなにを意味しているのか」花和尚訳／ウルトラプルースト「人種主義の試練について」／彫真悟「不幸との接吻――パンデミック下のシモーヌ・ヴェイユ」／鼠研究会「ウイルス的蜂起」／神佛共謀社「アナーキー当事者研究」 ISBN978-4-906944-21-7　本体1,500円　2020年11月刊

HAPAX 6——破壊

鈴木創士「帝国は滅ぶ」／『ランディマタン』誌「「最前列」の家に捧げる歌」東志保訳／『ランディマタン』誌「破壊行為者たちの叡智」／ティクーン「サイバネティクスの仮説（抄）」／ライナー・シュールマン「アナーキーな主体として自己を自律的に形成する（抄）」高祖岩三郎＋world's forgotten boy 訳／ジョン・クレッグ「ファーガソン以後の黒人表象」／『大学生詩を撒く』鎧ヶ淵支部「生の無為」／森元斎「文明の終わりと、始まり——石川三四郎における進歩について」／友常勉「よりよき〈生〉とアジア主義」／鼠研究会「アソ連合赤軍 1977——「人民は欠けている」考」

ISBN978-4-906944-11-8　本体 1,300 円　2016 年 12 月刊

HAPAX 7——反政治

HAPAX＋鼠研究会「相模原の戦争」／HAPAX「人民たちの反政治」／入江公康「魂の表式」／栗原康「ウンコがしたい」／アンドリュー・カルプ「エイリアンと怪物——『ダーク・ドゥルーズ』における革命」／Hostis「残酷の政治について／残酷の政治についての五つのテーゼ」／江川隆男「最小の三角回路について——哲学あるいは革命」／混世博戯党「火墜論」／World's Forgotten Boy「Raw power is laughin' at you and me.」／友常勉「武器を取れ——大道寺将司の俳句」

ISBN978-4-906944-12-5　本体 1,200 円　2017 年 4 月刊

HAPAX 8——コミュニズム

HAPAX「コミュニストの絶対的孤独——不可視委員会の新著によせて」／高祖岩三郎「黙示録的（アポカリプティック・）共産主義者（コミュニスト）」／李珍景「自由人の共同体と奴隷の共同体」／混世博戯党「文明破壊獣ヒビモス、あるいは蜂起派のためのシュミット偽史」／NPPV（マジで知覚するためのニュアンス）「非統治のための用語集」／ヴァージニア・ウルフ「壁のしみ」五井健太郎訳／五井健太郎「かたつむりの内戦、小説の倫理——「壁のしみ」訳者解題」／影本剛「「復興」共同体と同じ場所に暮れをつくりだす廉想渉「宿泊記」（一九二八）論」／食卓末席組「「別の長い物語り」について」／Great Caldrons「巨椋沼における 3 つの議論」／HAPAX＋鼠研究会「分裂的コミュニズム」

ISBN978-4-906944-13-2　本体 1,200 円　2017 年 11 月刊

HAPAX 9——自然

高祖岩三郎「自然という戦場」／白石嘉治＋ウルトラ＝プルースト「自然はピクチャーである」／森元斎「アナキズムの自然と自由——ブクチンとホワイトヘッド」／無回転 R 求道者「装置、あるいは文明と訣別するために——「直耕」の思想家・安藤昌益」／山下雄大「統治なき自然、蜂起するデモクラシー——ミゲル・アバンスールのサン＝ジュスト論から出発して」／ダニエル・コルソン「外の力能」五井健太郎訳／ステファニー・ウェイクフィールド「ライナー・シュールマンの断層線トポロジーと人新世」五井健太郎訳／鈴木一平「前世紀」／HAPAX bis「二月某日の疲れをもよおさせる議論」／鼠研究会「「世界政治」としてのペスト」

ISBN978-4-906944-14-9　本体 1,100 円　2018 年 6 月刊

HAPAX 10——ニーチェ

二人のギリシャのアナキスト＋高祖岩三郎「ギリシャのアナキズム 2018」／革命的官能委員会「自律か、無か。」world's forgotten boy 訳／鈴木創士「ニーチェを讃える」／榎並重行インタビュー「耳障りな声で——ある快楽懐疑者からの挨拶」／江川隆男「論理学を消尽すること——ニーチェにおける〈矛盾 - 命令〉の彼岸」／馬研究会「馬のニーチェ」／無回転 R 求道者達「いかにして

『HAPAX』バックナンバー

HAPAX Vol. 1

HAPAX「イカタ蜂起のための断章と注釈」／高祖岩三郎「終わりなき限りなき闘争の言葉」／Apocalypse +/ Anarchy「アポカリプス＆アナーキー・アフター・フクシマ」／co.op/t「底なしの空間に位置づけられて——インターフェイス論に向けて」／犯罪学発展協会「それいいね、それなら……——北米におけるさまざまな敵対性の伝染　2007–2012年の調査結果」／エンドノーツ「悲惨と負債——剰余人口と剰余資本の論理と歴史について」／ティクーン「全てはご破算　コミュニズム万歳！」／鼠研究会「暴動論のための12章」／KM舎「シャド伯爵夫人の秘密の晩餐」／「ハロー　どこでもない場所からのあいさつ」／アンナR家族同盟「鋤も鍬もない農民」

ISBN978-4-906944-01-9　本体1,000円　2013年9月刊

HAPAX Vol. 2

HAPAX「われわれはスラムの戦争をつくりだす」／「ゾミア外伝——鉄牛と及時雨の巻」／高祖岩三郎「逃散と共鳴り」／友常勉「流動的－下層－労働者」／影丸13号「傷んだ肉と野菜くずの蟹漬け（ケジャン）——あるいは下水管の咆哮」／Takun！「経験的戦前映像論」／エンドノーツ#3「待機経路——進行中の危機と2011–13年の階級闘争」／ティクーン「内戦の倫理」／炎上細胞共謀団FAI/IRF収監メンバー細胞「レッツ・ビカム・デンジャラス——黒いインターナショナルの拡散のために」／エヴァン・カルダー・ウイリアムス「黒い死装束——労働、肉、形式について」

ISBN978-4-906944-04-0　本体1,200円　2014年6月刊

HAPAX Vol. 3——健康と狂気

HAPAX「新しい健康を発明せよ！」／小泉義之「狂気の真理への勇気」／友常勉「〈戦争国家革命〉前夜」／シーシャ＝ヤニスタ解放戦線＋TOD「水煙草、パンクス、〈分断法〉」／Snoopy＋高祖岩三郎「蜂起的イスタンブール」／アリ・ベクタシ「ロジャヴァ——国境を破壊し自律を目指す闘争」／Deng!「悲惨ノート」／アンナ・R「孤独へと浮上せよ」／マニュエル・ヤン「二〇一四年六月の恋唄」

ISBN978-4-906944-05-7　本体1,000円　2015年2月刊

HAPAX Vol. 4——戦争と革命

HAPAX「無条件革命論——われわれには守るべき約束などない」／小泉義之「来たるべき領土、来たるべき民衆——観念的世界革命論を越えて」／友常勉「性の軍事化と戦争機械」／TIQQUN「『ヤングガール・セオリーのための基本資料』序文」／マーク・ダガン協会「アナーキーのための『アンチ・モラリア』の要約」／江川隆男「〈脱－様相〉のアナーキズムについて」／鼠研究会「どぶねずみたちのコミュニズム」／マニュエル・ヤン「トーキョー日記」／「不可視委員会へのインタビュー」

ISBN978-4-906944-06-4　本体900円　2015年7月刊

HAPAX Vol. 5——特集『われわれの友へ』

HAPAX「コミューン主義とは何か？」／李珍景「革命のシャーマンたちが呼び出したものたち」／友常勉「日本からの手紙——terrestritudeのために」／反－都市連盟びわ湖支部「都市を終わらせる——資本主義、文化、ミトコンドリア」／堀千晶「壁を猛り狂わせる」／中村隆之「隷属への否——不可視委員会とともに」／チョッケツ東アジアby東アジア拒日非武装戦「『われわれの友へ』、世界反革命勢力後方からの注釈」／入江公康「コミューンのテオクリトスたちによせて」／鼠研究会「永山則夫について」／『ランディ・マタン』誌論説「真の戦争」

ISBN978-4-906944-08-8　本体900円　2016年1月刊

HAPAX 14: Climatology

HAPAX 14——気象

2021年11月25日　第1刷発行

編　者 HAPAX
発行者 川人寧幸
発行所 夜光社（YAKOSHA）
〒145-0071 東京都大田区田園調布 4-42-24
Tel. 03-6715-6121　Fax. 03-3721-1922
booksyakosha@gmail.com

写真（P56-57）河西遼
設計・組版・写真 大友哲郎
印刷・製本 山猫印刷所

Printed in Japan
ISBN978-4-906944-22-4